J.E. Klausnitzer

150 TESTS D'INTELLIGENCE

Traduit de l'allemand par
Marianne Charbonnier

Ce livre, écrit par un des experts allemands les plus en vue, veut avant tout permettre au lecteur de se livrer seul à des tests psychologiques et des exercices intellectuels. Il doit y trouver tout ce qu'il souhaite connaître sur leur signification et sur la façon de les aborder pour mieux les réussir.

Ce livre va plus loin en posant les questions suivantes: Peut-on s'entraîner à être intelligent? Qu'est-ce qu'un «bon» test psychologique? Comment construire un test psychologique?

Son grand intérêt est la partie pratique: exercices intellectuels et tests pour connaître sa capacité de raisonnement. Avec la possibilité, en fin de volume, de mesurer son quotient intellectuel (QI).

SOMMAIRE

Avant-propos

«Il faut démanteler la psychologie!» C'est ce qu'ont exigé des étudiants en psychologie, lors d'un congrès sur «la psychologie critique et oppositionnelle» en 1972.

Comment y parvenir? Par l'analyse et la multiplication des tests d'intelligence ainsi que par la négation de leur fonction d'instrument de pouvoir.

Soupçonner le test d'intelligence d'être un instrument de pouvoir de la classe dirigeante relevait typiquement du devoir de l'élite «intellectuelle de gauche». Ce mot d'ordre n'avait rien d'original: un bon test psychologique ne doit craindre aucune analyse ni aucune diffusion.

Seul le test non scientifique est menacé, et s'il perd des chances d'être utilisé, ce livre aura alors atteint un premier but. Si, de surcroît, tous ceux qui sont intéressés par le sujet, parce qu'ils veulent au moins une fois tester leur intelligence, ou parce qu'ils auront à subir un test prochainement ou encore parce qu'ils pratiquent volontiers ce genre de sport intellectuel, sont poussés à la réflexion par cet ouvrage, ce livre aura alors atteint son second but.

On peut être ouvert à toutes les nouveautés sans pour autant prendre d'emblée trop au sérieux chaque nouveau courant scientifique à la mode.

Plusieurs années se sont écoulées depuis la première publication de ce livre.

Le débat sur l'intelligence est un peu plus calme aujourd'hui. Il n'a rien perdu de son importance qui s'est plutôt accrue de façon lente mais constante. De cette science «démantelée» qu'est la psychologie, on a fait depuis une science vigoureuse dont on ne peut plus se passer dans les domaines de l'entreprise et du médical.

Il est vrai que la tendance à juger l'intelligence d'un

individu de façon globale s'est entre-temps orientée vers un profil d'intelligence individuel selon des critères d'intelligence différents et des niveaux de QI différenciés. En ce sens, ce livre n'a rien perdu de son actualité car il a été conçu dès le début de façon factorielle et non globale.

Personne n'est complètement idiot. Chacun a dans le profil de son propre intellect des points forts et des points faibles. Ils sont seulement plus ou moins intelligemment mis en valeur ou bien cachés.

Si l'économie et l'accroissement de la population se développent en sens contraire — à savoir trop de candidats pour trop peu de places —, le problème de la sélection devient délicat. Le test psychologique reste alors le moyen de loin le plus objectif pour faire le bon choix. Une société hautement spécialisée ne peut pas se permettre de ne pas faire appel à la rigueur pour choisir ceux qui, de par leur fonction de direction, sont également responsables du bien-être personnel de leurs subordonnés. On ne peut pas exiger des subalternes qu'ils se laissent terroriser par un supérieur incapable.

Il n'est pas rare que justement les personnes ne disposant pas de suffisamment d'intelligence soient contre l'utilisation des tests d'intelligence. Elles ont grimpé dans la société par relations ou par népotisme. Il serait alors souhaitable que la vraie intelligence réussisse son avancée dans les institutions.

Que resterait-il donc comme solutions de remplacement? Des procédés qui sont soumis à l'arbitraire d'un recruteur ou au pur hasard. Aux dés, on parlerait de chance ou de malchance. Et on pourrait alors en grande partie se libérer de cette question.

Dans le cadre de l'évaluation de la personnalité dans son ensemble, on a découvert l'importance de l'intelligence, mais elle n'est pas à elle seule la propriété déterminant le succès et la personnalité de l'être humain.

De plus, plusieurs millions de personnes ont lu ces dernières années quelque chose sur l'intelligence et la façon de s'y entraîner. Mais le monde ne semble pas pour autant être devenu plus intelligent. Les livres sont-ils vraiment lus ou seulement posés sur une étagère pour montrer qu'on est «in»? Et s'ils ont effectivement été lus, n'a-t-on donc pas pratiqué les exercices d'entraînement correspondants? Ou bien ne sont-ils achetés que par les gens déjà intelligents? Toujours est-il qu'environ 3 % des gens ont un quotient intellectuel de 125 et plus.

L'auteur.

PREMIÈRE PARTIE

Réflexion faite

Se délivrer de son incertitude et de ses doutes sur lui-même est pour l'homme une recherche aussi vieille que l'humanité. Tant qu'il se trouvera confronté à l'abîme de sa propre ignorance, il cherchera par tous les moyens à vaincre cet abîme. Ses tentatives de se débarrasser de sa propre équivoque par des moyens encore plus équivoques revêtent parfois une forme grotesque. L'être humain agrandit constamment le champ de ses connaissances, réduit de plus en plus la part de la superstition, mais il reste démuni face à la question: «Qui suis-je?» Et l'humanité a toujours eu besoin de se trouver des «grands prêtres». Toutefois, le guérisseur ou le magicien, beaux parleurs plus ou moins sages, ont largement perdu de leur attrait. Ils semblent être désormais remplacés chez beaucoup de nos contemporains par le psychologue. La psychologie est considérée comme une doctrine bizarre mais digne d'intérêt, qui traite justement des aspects totalement inexplorables de la vie intérieure de l'homme. Soumis et dépourvus de sens critique, nous tombons sous le charme des psychanalyses autodestructrices ou réconfortantes.

Les sceptiques et les pessimistes l'ont toujours su; si la connaissance du génie humain a fini par crever l'abcès qu'est l'âme, la psychologie devient alors l'opium du peuple!

La psychologie est pratiquement présente dans tous les domaines. Le politicien qui veut s'attirer les faveurs de l'électeur endort sa critique par une argumentation nourrie de formules «psychologiques»; une émission de TV qui veut toucher le public doit avoir un arrière-fond «psychologique»; le dernier magazine redore son image par un «test psychologique». Cela ne fait aucun doute, la psychologie est «in»!

Cette popularité pose un problème à la psychologie scientifique. Alors que dans d'autres domaines la science semble ne plus progresser, il est logique que de nombreux espoirs se portent sur la façon de penser de la psychologie qui permet, du fait de sa position typiquement pluridisciplinaire, d'intégrer de nombreux domaines scientifiques en leur offrant de nouvelles ouvertures.

Ainsi, la psychologie promet-elle de résoudre de nombreux problèmes restés jusqu'ici sans réponse. Depuis qu'elle a pris pied sur un terrain strictement scientifique, elle s'est émancipée en tant que science en cherchant courageusement et impitoyablement à mettre de l'ordre dans la pensée humaine et à dérouiller des mécanismes séculaires. Mais un succès trop précoce peut nuire à une science encore jeune dans le sens où ce succès, dans nos sociétés occidentales, risque d'être détourné par l'appât du gain.

Certains expliquent le «boom de la psychologie» et ses conséquences par la théorie du décalage entre l'Europe et les États-Unis. Ce qui est aujourd'hui actuel là-bas le deviendra dix années plus tard chez nous. Pour d'autres, ce serait un phénomène de notre société de consommation dans laquelle le confort devient tellement ennuyeux que les gens s'occupent de plus en plus de leurs petits bobos tant physiques que mentaux. Ceux qui se disent réalistes y voient un phénomène sans véritable signification.

Il serait ridicule de ne pas convenir que la psychologie a trouvé entre-temps sa légitimité. Pour preuve, ses brillantes performances, en particulier dans le domaine de la «psychologie par le test» dont le développement s'apparente à un raz de marée. L'attrait magique des tests psychologiques s'explique surtout par l'idée fascinante qu'ils pourraient nous donner accès au monde confus de l'âme humaine et à toutes ses facettes.

Là où est la lumière est aussi l'ombre. Tous les pseudo-tests possibles et imaginables stimulent l'intérêt croissant des gens pour les tests psychologiques et participent ainsi à un développement louable en soi. Que ne trouve-t-on pas sous la dénomination «Test»?

De malins affairistes exploitent habilement la curiosité et la naïveté des gens en leur promettant de les aider à découvrir leur âme et ses caractéristiques cachées et de s'élever ainsi eux-mêmes au-dessus de la moyenne.

La frontière entre le «boom» et l'excès de tests est ténue. Le psychologue observe tout cela avec des sentiments mitigés.

D'un côté, la psychologie par le test réussit à perdre son caractère mystérieux et son image d'alchimie nébuleuse et malsaine; de l'autre, une lumière trop violente peut aveugler. On ne doit pas abuser de la psychologie par le test sous peine de nuire à son développement prometteur.

Exemple d'abus: l'utilisation d'un test pour faire des pronostics que le test ne permet pas. Ceux-ci seraient faux à coup sûr. Ne pas répondre est préférable à une mauvaise réponse. Utiliser des tests pour tout et n'importe quoi sans faire attention à leur capacité réelle de prévision conduirait à la fin prématurée de cette discipline. Il est temps, en Europe, de parer à une saturation semblable à celle qui se profile aux États-Unis.

Cela laisse le champ libre à une contre-attaque des opposants aux tests de la seconde génération. La psychologie par le test a, certes, démonté l'argument selon lequel les tests réduisent l'homme à un simple objet d'étude, violant sans scrupule son intimité et trahissant ses secrets.

Par contre, elle est encore sensible aux attaques portant sur l'insuffisance des bases sur lesquelles les tests sont construits. Ces attaques sont justifiées contre les pseudo-tests qui, sous de faux labels de qualité scientifique, profitent de l'engouement général: il faut leur retirer toute chance! Il est regrettable que ces pseudo-tests altèrent l'image d'ensemble des tests psychologiques. Éclairer le public paraît être la seule arme contre le microbe «pseudo-test». On ne le maîtrisera pas tant que le profane relativement ignorant ne saura pas faire la différence entre les différents tests. Le niveau dépend nécessairement du niveau d'attente et de connaissance des gens. Quand les testeurs sans scrupules et affairistes ne parviendront plus à tromper leurs patients par des pseudo-tests, les fétichistes du test et leurs adversaires pourront déposer les armes et se consacrer à l'amélioration des tests psychologiques.

Il y a psychologue et psychologue

Qu'on se le dise une fois pour toutes!

Celui qui pense connaître les hommes — et qui ne le pense pas? — aime se parer de la qualité de «psychologue». Le fait qu'aujourd'hui tout le monde, y compris naturellement les «vrais» psychologues, peut se considérer comme étant psychologue contribue à rendre ambivalent le concept professionnel de «psychologue». Selon les situations, on accordera ce qualificatif au philosophe, au professeur, au prêtre, au psychiatre, au psychothérapeute ou au médecin. Il faut dire et répéter qu'être psychologue est un métier tout à fait ordinaire, que les psychologues sont des gens comme les autres, qu'ils n'ont pas affaire à des «fous» ou à des «débiles» mais généralement à des gens normaux, comme vous et moi.

C'est justement parce que la définition claire du travail de psychologue lui échappe et qu'il ne peut donc pas faire la différence entre le vrai et le faux psychologue que le profane remplace volontiers des critères qui lui manquent par des accessoires matériels censés garantir qu'il s'agit d'une science sérieuse: les lunettes, la blouse, le regard pénétrant n'impressionnent pas seulement le profane de façon efficace.

C'est surtout au regard «pénétrant» que le psychologue est immédiatement reconnu. Sous ce regard, beaucoup se sentent analysés, disséqués, mis à nu. Certains se referment alors encore plus sur eux-mêmes pour que leurs faiblesses réelles ou imaginaires ne puissent être découvertes — ce qu'ils ne devraient d'ailleurs pas craindre. D'autres frissonnent de plaisir à l'idée d'exhiber leur «moi» profond, mais la psychologie est une science trop sérieuse pour être réduite de façon aussi simpliste à un outil sans aucune technique précise.

L'ensemble des préjugés et des opinions constitue le psychologue tel qu'on se le représente, inspirant le respect et la distance, la considération et le mépris, l'ironie et la sérénité.

Le profane dispose en fait d'un moyen important pour s'orienter: depuis quelques années, la dénomination professionnelle exacte des scientifiques spécialistes en psychologie est «Diplômé en psychologie», avec le cursus «Bac + 5». Le titre est protégé en tant que titre académique. La présence ou non de la qualité de «diplômé» peut en dire long. En cas de doute, c'est toujours le «diplômé en psychologie» qui sera le spécialiste qualifié. Malheureusement, ce sont trop souvent des charlatans qui se cachent derrière le titre de simple «psychologue». Un profane éclairé devra toujours faire attention à cet important détail.

Combattus par les médecins comme un virus dangereux pour leur profession, stigmatisés en boucs émissaires agitateurs révolutionnaires, ils essaient encore et toujours de surmonter le paradoxe compréhension = complication. La psychologie a une tâche difficile: son but est la connaissance d'une âme infiniment complexe. A cause de la croyance selon laquelle même un profane peut comprendre la psychologie pourvu qu'il soit doué de bon sens humain, on prône la psychologie au risque de la dénaturer.

Il n'y a qu'une issue possible à ce dilemme: le psychologue devra à l'avenir se faire de plus en plus biologiste, en essayant de décrire en termes techniques précis les tenants et les aboutissants confus de l'âme. Si la

L'irrationnel en graphologie : l'intuition et l'esprit de finesse l'emportent sur l'explication scientifique.

psychologie, et avec elle le psychologue, souhaitent survivre, ils devront plutôt tendre à la psychotechnique. Comme la médecine qui a suivi ce chemin avant elle, la psychologie pourra alors définitivement se démarquer grâce à l'aide de la technique.

Il y a test et test

Le test psychologique est de nos jours la plus connue des techniques utilisées par le psychologue, et son allié le plus précieux dans la bataille pour sa survie. La considération d'une profession tout entière dépend en grande partie de lui; raison suffisante pour utiliser le mot «test psychologique» avec beaucoup de prudence! Il devrait avoir une qualité scientifique. Mais, aussi longtemps que le syndicat professionnel des psychologues ne requiert pas un certain niveau de qualité dans son cahier des charges, celui qui souhaite se soumettre à un test reste dépendant de son propre jugement. Se faire

Le test de Rorschach: détesté par les uns, adoré par les autres...

une opinion de soi-même n'est pas chose facile. Trop souvent, le concept de test est réduit, dans le jargon scientifique, à être une simple banalité (mot vide de sens), derrière laquelle est simulée toute une palette de qualités différentes. Si, pour cette raison, des doutes peuvent être émis sur les tests psychologiques — et certains sont en partie justifiés —, tous les tests ne sont cependant pas concernés! Des profanes peu informés mais aussi certains utilisateurs irresponsables mélangent à tort et à travers, à dessein ou non, tests irréprochables et tests peu fiables et confèrent ainsi une fausse image aux tests psychologiques. Ceci conduit souvent les gens à des attitudes de refus catégorique ou d'attente démesurée. C'est la raison pour laquelle il faut montrer au profane que c'est en prenant en compte des critères scientifiques que l'on distingue le test psychologique du test de charlatan.

On devrait, avant de juger trop rapidement, étudier tout d'abord la multitude des tests usuels. Sur les 150 tests prétendument psychologiques et sérieux qui sont utilisés aujourd'hui, seul un petit nombre est conforme aux critères scientifiques minima. Entretien,

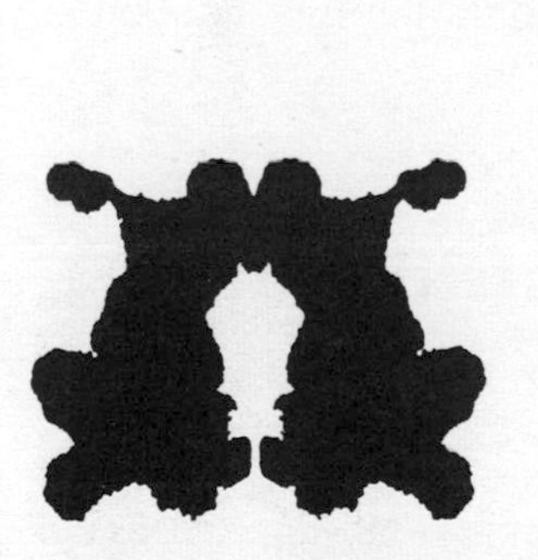

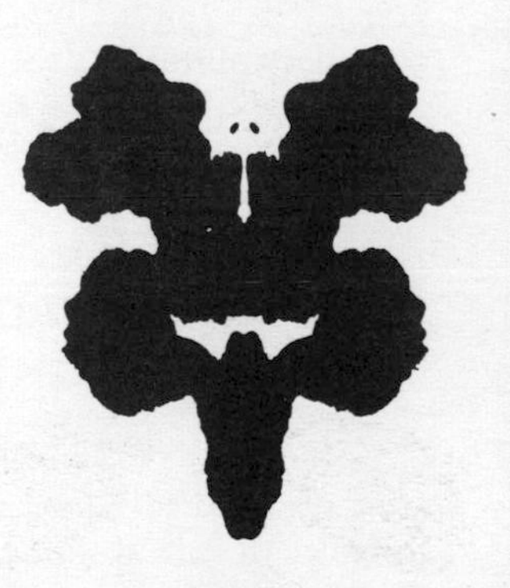

Peut-être le test de l'avenir avec l'aide de l'informatique et de la psychotechnique.

observation du comportement, certificat, recommandations, analyse du curriculum vitae, analyse graphologique, «test de couleur», test de dessin, test de Szondi, questionnaire de personnalité, test de Rorschach, interprétation d'images, test d'illustration, etc., tous ne répondent pas aux critères de qualité d'un bon test.

Il faut juger sévèrement mais objectivement le niveau actuel de la recherche en matière de tests: des deux grandes familles de tests psychologiques que sont les tests de niveau et les tests de projection, seule la première est conforme aux exigences scientifiques. Ils doivent être encore améliorés car ils reposent trop sur de vagues hypothèses et non sur des faits scientifiques fondés.

Ceux qui critiquent les tests pourraient éviter bien des quiproquos en sachant distinguer de façon suffisamment nette ces deux familles de tests. Ils devraient définir exactement le test auquel ils s'attaquent au lieu de les mettre tous dans le même panier. Il arrive souvent que l'insuffisance, par exemple, d'un test de niveau sera mise en cause alors qu'il s'agit en fait d'un point faible bien connu d'un test de projection.

Les préférés et les plus connus des tests de niveau psychologiques sont sans aucun doute les tests d'intelligence! Ils sont à l'origine de toute la tradition des tests, ce qui explique qu'ils sont aujourd'hui très au point et que leur utilisation s'est banalisée.

De l'intelligence intelligente

Ce n'est pas par hasard si les tests psychologiques se sont d'abord attaqués à mesurer l'intelligence. L'introduction d'un système de mesure physique dans le domaine de la psychologie semblait tout à fait évident.

Le moindre doute sur l'intelligence d'un individu déclenche un système d'alarme. Celui qui pense être pris pour un idiot devient agressif et cherche à défendre son image. En effet, rien n'a plus d'effet sur la conscience de soi que de tels soupçons. En vérité, la société fait preuve d'une rare intolérance. La névrose passe pour de la décadence, la maladie est associée à une espèce de courage morbide, la cyclothymie est prise pour du caprice; seul le manque d'intelligence est toléré. La bêtise est une tare qui condamne beaucoup d'espoirs et d'attentes dans la vie. Quelle honte pour une famille quand l'enfant doit redoubler une classe parce qu'il est «bête»! On ne plaisante pas avec l'intelligence.

Qu'est-ce que l'intelligence? Les tests psychologiques ne sont pas en mesure de le dire exactement, ni même d'expliquer à quoi elle sert. Si l'on part du principe que tous nos actes s'expliquent par nos qualités innées, évidemment différentes de celles d'autrui, le caractère utopique d'une société sans classe devient évident. Les systèmes les plus variés ont été imaginés, essayés, puis rejetés: même si l'on parvenait à dépasser le système actuel basé sur l'argent, il resterait toujours des classes d'intelligence! Sans celles-ci, l'ambivalence entre les concepts «bêtise» et «intelligence» disparaîtrait; sans elles, nous serions en présence d'un système basé sur la dictature de la masse et la conformité obligatoire à la moyenne. Du coup, l'homme bête tout comme l'intelligent s'opposeraient en permanence à l'homme moyen.

Mais pourquoi l'intelligence? La fièvre de l'intelligence ne cessera-t-elle pas d'un coup, à la manière d'un phénomène de mode?

Lorsque la notion de droit à l'intelligence ira de pair avec celle inconfortable d'obligation, les ambitions perdront leur souffle et sombreront dans la masse douillette de la moyenne. De même qu'on est «contraint» d'être libre, on est «contraint» d'être intelligent. Peut-être l'intérêt que l'homme porte à son intelligence s'explique-t-il par son narcissisme?

W. Stern a été l'un de ceux qui ont tenté de définir

l'intelligence. Il pense que c'est la capacité générale à mettre la pensée au service de nouvelles exigences, à l'adapter à de nouvelles tâches; mais c'est aussi selon lui la capacité à agir sur l'environnement, à être efficace et productif.

Ironie du sort: la psychologie, sur son terrain de prédilection qu'est l'intelligence, perd très vite ses repères dès qu'elle sort du cadre de la simple définition. L'intelligence consiste justement à la définir. C'est avec les mots auxquels on la reconnaît qu'elle se définit le mieux.

Il est étonnant de constater que presque tous les chercheurs se heurtent aux théories dites «des facteurs». Sans vouloir anticiper le résultat de la controverse sur le nombre de ces facteurs d'intelligence, on peut tout de même dire que l'intelligence pure n'existe pas, mais que c'est de l'effet conjoint de différents facteurs que résulte un comportement intelligent. La recherche dans ce domaine est aussi difficile que dans le domaine de la physique. Les physiciens à la recherche de l'élément de base de la matière se heurtent à des particules toujours plus petites. Les énigmes se multiplient à mesure qu'ils approfondissent leur connaissance de la matière.

Spearman est parti de l'hypothèse d'un facteur général d'intelligence, environné de quelques autres plus spécifiques. Le nombre de ces facteurs a augmenté d'auteur en auteur. Guilford en dénombre 120. Les modèles actuels sont extrêmement complexes et différenciés. Un test d'intelligence complet ne semble plus possible. Tout au plus, des domaines très précisément et étroitement définis sont-ils mesurables. Et encore, il ne faut pas généraliser!

Les facteurs représentés dans la partie suivante consacrée aux tests sont un assortiment qui peut donner des informations utiles mais non représentatives de l'intelligence; même s'il est fort probable que celui qui obtient un bon score dans ces domaines fera de même dans les autres.

L'intelligence musicale ou sportive n'est pas abordée.

On ne peut pas dire d'un excellent musicien peu doué en calcul ou d'un joueur de football de niveau mondial ayant des difficultés d'expression verbale qu'ils sont idiots!

Dans l'état actuel de la recherche, on peut distinguer cinq facteurs généraux: maîtrise du langage, perception de l'espace, aptitude à compter, capacité de raisonnement et de déduction logique.

Le débat engagé au début du siècle sur l'origine de l'intelligence est encore ouvert et conduit à de vives controverses entre chercheurs.

Deux camps quasi «ennemis» se sont formés: d'un côté, celui des généticiens, d'avis que l'intelligence est à 80 % innée et à 20 % acquise; de l'autre, celui des théoriciens du comportement qui pensent que le rapport est inverse. Cette scission entre «fanatiques de l'hérédité» et «fanatiques de l'environnement» n'a pas vraiment fait avancer les choses. Il ne sera pas possible de donner raison aux uns ou aux autres avant longtemps. Il manque pour cela trop d'informations de base en biopsychologie et en sociologie. Pour l'instant, les résultats les plus récents penchent plutôt en faveur des généticiens. On pourrait en conclure qu'un comportement intelligent peut être modifié par l'environnement mais jamais au point de porter préjudice à l'intelligence définitive (celle contenue dans les gènes).

Si l'intelligence était surtout innée, pourrait-on l'entretenir et la développer?

La réponse définitive à cette question dépendra de la conclusion du débat entre les deux théories: victoire unilatérale ou compromis? Les défenseurs de l'inné répondront par la négative, ceux de l'acquis par l'affirmative. Si les premiers ont raison, l'intelligence ne peut pas être cultivée. Supposer autre chose serait pure spéculation.

Depuis l'invention des tests et des quotients d'intelligence (QI), on peut présenter l'intelligence de façon scientifique.

Avec des unités de mesure homogènes et comparables, une amélioration après entraînement — si l'on se base sur la définition opérationnelle de l'intelligence: elle est ce que le test mesure — peut être rapidement décelée en tant qu'amélioration artificielle.

La définition opérationnelle met en évidence l'insuffisance des tests. Les différents tests mesurant non pas l'intelligence elle-même mais ses performances sont des indicateurs de niveau d'intelligence qui permettent d'améliorer ce niveau en obtenant de meilleures performances. Et celles-ci ne peuvent sans aucun doute être atteintes qu'en connaissant les principes des tests et leurs réponses.

Une amélioration du QI s'explique donc par un pseudo-effet d'apprentissage: du fait d'être informé ou de s'être entraîné, le candidat aux tests est déjà familiarisé lors du premier test.

On ne peut avancer qu'un seul argument sérieux contre cela: les performances se mesurent avec des exercices qui impliquent nécessairement un comportement intelligent. Un entraînement au moyen de tels exercices devrait avoir, à l'inverse, un effet positif d'amélioration de ce comportement. Ceci pourrait expliquer les effets d'apprentissage observés.

L'école de l'intelligence est un centre d'entraînement mental. On se maintient en forme physiquement en faisant du jogging ou de la gymnastique. L'entraînement «autogène» met en forme mentalement. L'entraînement de l'intelligence rafraîchit l'esprit et le rend performant.

L'intelligence par-dessus tout?

A l'instar de beaucoup de critères psychologiques, la performance de l'intelligence revêt la forme de la courbe de Gauss. L'usage du langage veut qu'être intelligent signifie être plus intelligent que la moyenne. Ainsi, selon cette définition, seul un individu sur trois serait intelligent. L'écrasante majorité serait constituée, elle, de pauvres hères idiots.

Celui qui peut régler un problème rapidement est censé être intelligent.

Question : qui décide qu'il y a problème, où et quand ? Et celui qui n'en a pas n'a donc pas besoin d'être intelligent. L'intelligence est un mirage lié à la conscience que l'on a des problèmes. Le problème d'aujourd'hui en sera-t-il un demain ? Les mauvaises langues affirment que la plupart des problèmes se résolvent d'eux-mêmes : « management » par l'ignorance feinte ou la patience.

Rome ne s'est pas faite en un jour, et Dieu s'est donné sept jours pour créer le monde ! Au regard de ses possibilités, c'est une éternité. Pour bien faire dans la vie, il faut prendre son temps ; et dans un monde bureaucratique et feutré, celui qui va vite s'attire méfiance et antipathie.

La bonne solution : qu'est-ce qu'une bonne solution ? Des initiatives reprises à leur compte et corrompues par la subjectivité et la défense des privilèges des gens au pouvoir ? L'intelligence se reconnaît aux bonnes actions. Elle se mesure à son degré d'utilité pour la communauté. Les résultats sont déprimants : la plupart des erreurs sont commises par ceux qui mettent en avant leur intelligence : les scientifiques. Les apparences sont trop souvent trompeuses. Exemple de désastre : l'éducation libérale, « anti-autoritaire » qui a fait de certains jeunes des inadaptés. A quoi sert l'intelligence quand on l'embrume de préjugés ? Exemple d'absurdité : l'idée reçue selon laquelle la violence à la télévision remédie ou, au contraire, attise la criminalité. Le beurre est tantôt mauvais, tantôt bon pour la santé. On finit par constater qu'un médicament censé empêcher l'infarctus le provoque au contraire ! Ici, on recommande pour les rhumatismes un repos complet et des massages à chaud, et là, exactement le contraire. Les bombes atomiques n'ont-elles pas détraqué le temps? L'oxyde de carbone nous fera-t-il mourir de chaleur ou de froid?

La prétention et la signification de l'intelligence doivent être relativisées. C'est un élément important de la personnalité mais ce n'est pas le seul! L'intelligence est la boîte de vitesses des rouages mentaux. A quoi sert-elle s'il n'y a pas d'air dans les pneus, si tout est rouillé, si la lumière ne fonctionne pas? Que vaut-elle sans la capacité de concentration? Cela reviendrait à rouler dans le noir avec une voiture sans phares. Un penseur concentré et discipliné, même s'il n'est pas aussi intelligent, est supérieur à un penseur confus et distrait.

Les mêmes rapports régissent l'interdépendance de l'intelligence, de la mémoire et de la capacité de perception. Un fût sans fond ne vaut pas plus qu'un ordinateur avec un mauvais logiciel. Un cerveau doté d'a priori, d'informations tronquées et autres fausses données n'obtiendra pas de résultats satisfaisants.

A quoi sert l'intelligence si on n'est pas prêt à discipliner et utiliser sa raison? De même pour le rapport entre intelligence et motivation: sans travail, pas de récompense. Beaucoup de gens se servent de leur intelligence pour éviter le travail sans se faire remarquer; celui qui s'applique finit par s'épanouir malgré ses faibles talents, tandis que l'intelligent paresseux perd bientôt les siens, et ce n'est que justice.

Les particularités du caractère comptent également. Une personne intègre, sincère, sûre d'elle, bonne, secourable, charismatique, ayant la foi, laissera une excellente impression. La foi peut soulever des montagnes. On ne dit pas cela de l'intelligence.

La névropathie, avec ses angoisses face à la société et son besoin de reconnaissance démesuré, est également une mauvaise alliée de l'intelligence. Les grosses têtes, les criticailleurs et autres je-sais-tout finissent par nous taper sur les nerfs. Une intelligence qui fait une mauvaise expérience devient médiocre. Préférons l'intuition exaltée, imprécise, avec un trait de rêverie, à la coquetterie pesante de l'arrogance mentale.

L'intelligence n'est pas un but dans la vie. Elle n'est qu'un des nombreux moyens pour l'homme de parvenir au seul but véritable: être un membre reconnu de la communauté des hommes.

L'intelligence, un privilège masculin?

Au premier coup d'œil, l'intelligence semble être une affaire d'hommes. Tout comme la construction métallique, les graphiques d'ordinateurs, la clarté et l'élégance du style gothique sont des domaines supposés masculins. Alors que la beauté d'un bouquet de fleurs des champs, les lignes élégantes d'une robe du soir ou un nez retroussé piqué de taches de rousseur, les particularités du style baroque passent pour typiquement féminins. En est-il vraiment ainsi?

Voici les réflexions spontanées d'une femme intelligente et émancipée, convaincue que les femmes doivent gagner le droit à l'intelligence dans leur marche vers l'égalité.

Les femmes ont toujours été intelligentes. Elles devaient simplement emprunter des détours correspondants à leur rôle de femme — ce que beaucoup d'entre elles ont fait de façon très intelligente et subtile. Les dignités officielles et les honneurs qui leur sont abusivement liés étaient réservés aux hommes.

Les hommes ont tenté, plus ou moins énergiquement, de contenir ce développement. En effet, les hommes, les «créateurs», soupçonnaient la gent féminine d'être capable de réussir dans les domaines jusque-là exclusivement masculins. Ce qu'ils ne pouvaient laisser faire sans opposer de résistance. Ainsi, jusqu'au vingtième siècle, l'homme a interdit à la femme l'accès à une formation scolaire en bonne et due forme. Plus d'un a sans doute caressé l'espoir que le cerveau féminin, privé de nourriture et d'exercices spirituels, se rabougrirait de lui-même.

L'image et le rôle de la femme sont en train de changer, ce qui surprend beaucoup d'hommes — les moins intelligents? Le sentiment féminin d'être négligée, pas assez valorisée, a favorisé l'explosion du mouvement d'émancipation pendant lequel une partie des femmes — les moins intelligentes également? — se sont précipitées sur la mauvaise voie. La formation professionnelle des femmes s'accélère; pour preuve, la part croissante des femmes dans les instituts supérieurs et les universités. Elles regagnent en confiance dans des capacités longtemps inexploitées et s'aventurent de plus en plus dans des domaines qui n'appartenaient alors qu'au territoire des hommes.

Cette prise de conscience d'elles-mêmes a, dans une large mesure, contribué à réduire le vieux déséquilibre entre les sexes jusqu'à ce qu'on ne dise plus un homme et une femme mais deux êtres humains — certes différents mais ayant les mêmes droits. En effet, il n'est écrit nulle part que la différence biologique justifie deux valeurs différentes. Même les phallocrates ne pourront contenir cette évolution.

La synthèse féminité-intelligence ne se fait pas sans friction. Beaucoup de femmes essaient d'harmoniser leur potentiel intellectuel et leur rôle sexuel.

Les femmes inexpérimentées mais bien intentionnées deviennent soit des femmes battantes, superlibérées et superdouées, soit des retardataires, dans des rôles conventionnels, des fausses romantiques et des couardes conservatrices. Le premier groupe se ridiculise par son antimasculinisme, le second risque de redisparaître très vite derrière les fourneaux.

Le droit à l'émancipation est un problème. Le bon sens de l'émancipation en est un autre. L'épanouissement de la femme par elle-même peut être remis en question dès lors que l'homme, lui, n'y participe pas. Les femmes ne devraient pas oublier trop vite leur bon sens au profit de la seule intelligence. A quoi servirait celle-ci si leurs partenaires masculins s'effaçaient tout à fait par peur d'elles? Les femmes auront compris le sens du mot intelligence quand elles l'utiliseront non plus afin de s'arroger des privilèges masculins mais afin de créer une nouvelle forme de partenariat et de vie commune avec les hommes. C'est plus affaire de caractère personnel que d'intelligence.

Voilà donc les pensées spontanées d'une femme. Mais il ne faut pas limiter cette évolution à l'Europe. Il est souhaitable que de telles possibilités s'ouvrent aux femmes arabes, africaines ainsi qu'à toutes les femmes du monde.

L'intelligence bien comprise

Il n'est pas rare de constater que nombre d'hommes connus ou ayant réussi ne sont pas aussi intelligents que l'on pourrait l'imaginer, tandis que des virtuoses de la pensée végètent à des postes de second ordre. Si l'on comprend aisément ce que disent les premiers, les seconds sont bien les seuls à se comprendre. Lesquels sont les plus intelligents?

L'intelligence narcissique et grandiloquente suffit-elle? A quoi servent alors de bonnes cartes à celui qui ne les joue pas? De même qu'un bon joueur se distingue d'abord par sa façon de jouer, on n'est intelligent que lorsqu'on utilise son potentiel d'intelligence.

Celui-ci n'est pas visible à proprement parler. On peut tout au plus le deviner et le reconstituer. L'intelligence employée est visible, elle, sous forme verbale (intelligence linguistique) ou sous forme d'action (intelligence active). L'idéal serait de pouvoir employer tout son potentiel et d'atteindre ainsi une intelligence hautement efficace.

Si le potentiel disponible est plutôt inné, son emploi

est par contre lié à l'environnement, l'expérience et l'entraînement.

Que signifie le succès dans notre société de consommation? Il est généralement associé au concept de masse, de quantité. Les idées, les produits, les entreprises ont du succès parce qu'ils sont nombreux. Nombre égale moyenne. Bien employer l'intelligence, c'est savoir s'adresser à la majorité dans un langage ajusté à son niveau de manière à être compris de tous; c'est donc, en fait, l'art de s'adapter à la moyenne. Celui qui sait s'adapter paraîtra plus intelligent que celui qui n'en est pas capable.

Les tests psychologiques mesurent l'intelligence employée. Il n'est pas possible d'en déduire le potentiel. C'est un bon prétexte pour ceux qui ont des difficultés avec les tests: une faiblesse dans l'emploi de l'intelligence se digère plus facilement qu'un manque de potentiel.

Maladie du test ou testmania?

Aujourd'hui, les tests psychologiques sont sur le chemin de la victoire et on ne peut que s'en réjouir.

Quand on dresse le bilan des tests psychologiques, les avantages l'emportent indiscutablement sur les inconvénients. Beaucoup de gens savent maintenant apprécier les tests. Le test psychologique est d'une meilleure aide que l'arbitraire ou le hasard lors d'une prise de décision; il s'agit donc d'un progrès.

Il y a de quoi s'étonner qu'une société arrive à fonctionner (tant bien que mal) alors que ses membres ont abandonné le choix de leur métier, de leur carrière, de leur conjoint au simple hasard.

A l'avenir, une société très développée ne pourra plus se permettre un tel manque de rigueur!

Pourquoi le nombre d'ulcères de l'estomac aug-

Cauchemar des catastrophistes et des sceptiques: une société analysée et criblée de tests.
Espoir de tous les progressistes: un jugement individuel et juste, sans discrimination subjective.

mente-t-il régulièrement? Pourquoi tant de divorces? Doit-on rester sans agir devant le management maladif et surmené de l'économie? Les défavorisés ont-ils des chances d'être formés? L'économie a-t-elle besoin d'actifs qui somnolent sous prétexte qu'ils ont mal choisi leur métier?

On devrait systématiquement utiliser les tests psychologiques — et ceci en raison de leur excellente fiabilité — pour toute décision concernant des performances. L'appel aux tests est nécessaire à une époque où il faut décider vite et pour le long terme. Le nier serait faire preuve d'arriérisme irresponsable.

La psychologie en est revenue de l'euphorie de ses débuts alors qu'elle pensait pouvoir découvrir l'essence de l'être dans sa totalité et son individualité. Le test fondé scientifiquement est plus modeste. Il se contente d'informations sur certains facteurs du comportement humain. Les tests perdent ainsi en volume d'informations mais gagnent en précision. Ce qui se produit aux USA (le numéro 1 du test) arrivera sans doute en Europe. Toutefois, le risque de déchaînement de la test-manie n'est vraisemblablement pas si grand en Europe.

Le test n'a sans doute pas fini d'évoluer, et, à la longue, on n'utilisera plus que des tests scientifiquement fondés.

On pourrait être tenté de juger les performances et la personnalité d'un individu sur ses seules qualités humaines. Bénie soit alors la société, qui substitue des séries de tests objectifs à ces évaluations si peu objectives et précises.

Vouloir bloquer cette évolution par ignorance, méchanceté ou bêtise reviendrait à une forme de vandalisme intellectuel.

Des provocations telles que «à bas la psychologie!» ébranlent l'illusion d'un monde meilleur. Ceux qui soupçonnent le test psychologique d'intelligence en même temps que la classe dirigeante surestiment en fait son rôle d'instrument de pouvoir: le test en soi est fondamentalement neutre.

Chacun d'entre nous doit s'attendre à passer un test psychologique un jour où l'autre: conseil d'orientation, service militaire, carrière, contrôle technique, candidature; dans la plupart des cas, il faut passer par un test.

Les hommes décident, on décide des hommes: ces décisions sont souvent lourdes de conséquences pour les uns et les autres. La décision repose sur l'anticipation des comportements (professionnel, conjugal ou autre). Elle a, une fois prise, un caractère irrévocable; c'est pourquoi deux facteurs sont importants: d'une part, l'information objective sur la situation actuelle, d'autre part, la prévision des comportements futurs.

La valeur du test psychologique réside dans sa capacité à rendre objective une décision grâce aux informations impartiales et spécifiques qu'il fournit. Il rend du même coup les prévisions plus probables. Il est absurde de vouloir comparer cette fonction à un «piège» ou à de l'indiscrétion.

Le test psychologique, loin d'associer les capacités actuelles et le comportement futur par un bricolage arbitraire, repose au contraire sur des données scientifiques.

Il n'a pas pour but d'espionner ignominieusement l'intimité psychique. Il livre les informations nécessaires à une prise de décision optimale. On se rapproche ainsi du test idéal: «chacun à sa place». Il n'y a que deux possibilités: ou bien on refuse le progrès et on refuse alors l'autonomie de décision, au risque d'avoir plus tard un ulcère à l'estomac, ou alors on étudie ses possibilités et ses limites au travers d'une grille objective d'évaluation et on change de direction en conséquence.

Un bon test

Personne n'est d'accord sur l'origine du mot «test». L'hypothèse la plus probable et la plus courante est qu'il vient du latin «testa». «Testa» est une sorte de creuset dans lequel on peut séparer les matières nobles des autres.

Autre possibilité: l'origine latine «testatio» qui signifie certificat, preuve. Le test s'entendrait alors comme un «défi», une occasion de prouver ses capacités.

Définition scientifique: un test psychologique est une situation standardisée qui génère un comportement significatif.

Il existe six critères de qualité qui marquent la différence avec les pseudo-tests tels que les tests d'image, les tests graphologiques et autres: rationalité, standardisation, objectivité, fiabilité, validité et normalisation.

Rationalité

On peut être conduit dans la vie courante à devoir juger vite et bien les capacités d'un individu. Le test apparaît alors, économiquement, comme la solution la plus raisonnable.

Le sens et le but d'un test psychologique entrent à part entière dans tout processus de décision importante. On reconnaît la rationalité d'un test à la précision du pronostic ; elle lui enlève tout caractère aléatoire et incertain. Le choix d'un dirigeant ne peut se révéler mauvais que dans dix ans. C'est pourtant maintenant qu'il faut prendre la décision.

Standardisation

Le « test » est comparable à une situation à laquelle convient un certain type de comportement. Chacun doit savoir qu'il a la même chance que les autres de parvenir à de bons résultats. La standardisation des situations permet d'équilibrer les chances en excluant toute influence incontrôlable.

Les « tests aveugles » ne sont pas utilisables en psychologie justement parce qu'ils ne sont pas assez standardisés. Ces tests sont des tests qui sont menés par les candidats eux-mêmes sans qu'un psychologue diplômé puisse vérifier que les prescriptions d'emploi sont bien respectées. La plupart des résultats des tests faits à la maison, sans contrôle, ne répondent pas au critère de standardisation et n'ont aucune valeur.

Objectivité

Un test est dit objectif quand il permet de mesurer sans ambiguïté les capacités d'un individu. Pour cela, il doit remplir trois conditions.

La première de ces conditions est liée à l'influence

que peut exercer le testé sur les résultats. Ceux-ci ne doivent pas dépendre, par exemple, du niveau de préparation du candidat. Ceci implique naturellement que le testé ne puisse pas décrypter le test et ne sache pas comment ses réponses seront interprétées. Cette exigence s'oppose toutefois souvent au souhait légitime du candidat d'être éclairé sur les modes d'interprétation des tests en question. Même s'il se trompe, le profane pense pouvoir comprendre le principe du test en faisant des exercices. Pour lui, on mesure la capacité à compter avec des exercices de calcul. Logique! Rien ne va plus, par contre, lorsque le test est si obscur qu'un chef de personnel doit s'en remettre au seul psychologue! Il faut dans ce cas faire confiance au jugement scientifique. On fait bien confiance après tout à son médecin alors qu'il n'est pas toujours évident pour le patient de faire le rapport entre la maladie et les méthodes utilisées lors de l'auscultation. La plupart des questionnaires de personnalité ne remplissent pas cette condition. Le testé comprend vite comment il doit répondre pour améliorer son résultat.

La seconde condition se rapporte à la résolution des exercices. Une réponse doit être reconnue comme absolument juste par plusieurs personnes. De même, l'interprétation des réponses doit faire l'unanimité.

La troisième condition, et la plus importante d'ailleurs, concerne l'imperméabilité des résultats et de leur interprétation par rapport à l'influence de la personnalité du testeur. Ceci suppose une méthode d'exploitation des réponses qui ne lui laisse aucune marge de manœuvre et qui rende indifférente l'identité du testeur ou du testé. La plupart des tests remplissent cette condition, sauf les tests de projection. Les utilisateurs des tests de Rorschach ou les graphologues mettent toujours en avant, et non sans fierté, l'importance de l'expérience et l'intuition dans l'interprétation. Si cela honore les psychologues expérimentés, ce n'est pas le cas pour les méthodes utilisées.

Un test est objectif quand M. X obtient les mêmes

résultats, que ce soit chez tel psychologue à Paris ou chez tel autre à Marseille.

Fiabilité

Le test psychologique est un instrument de mesure scientifiquement précis en ceci qu'on parvient aux mêmes résultats quel que soit le procédé utilisé.

On pourra par exemple facilement séparer un groupe d'individus en fonction de leur taille. Ni le nombre, ni la variété des situations dans lesquelles on le fera n'influenceront les résultats: ils resteront identiques. Il en va de même pour les tests psychologiques. La fiabilité dépend donc étroitement de la standardisation et de l'objectivité. Bien entendu, dans la pratique, il est impossible de recréer les mêmes conditions pour chaque test. On tente donc de s'approcher d'une valeur idéale.

La psychologie a mis au point une échelle de fiabilité allant de 0,0 à 1,0. (0,0 = fiabilité nulle; 1,0 = fiabilité absolue). Seuls les tests de niveau, grâce à l'ambition des chercheurs, s'approchent de l'idéal. D'une manière générale, un bon test doit se situer au-dessus de 0,85. Méfiez-vous de celui qui n'atteint pas ce niveau! La fiabilité est essentielle.

Validité

Quelle que soit l'importance que revêtent tous les critères énumérés jusqu'ici, un test n'est vraiment un bon test que s'il est suffisamment ajusté: il ne doit mesurer que ce qu'il est censé mesurer et non pas quelque chose de similaire ou de différent.

Le certificat parfois attribué à la fin des tests est un bon exemple de manque de validité. Quoi qu'on en dise, ce n'est pas un indicateur d'intelligence. Il sanctionne plutôt le reste: ambition, travail, adaptation.

Seul un test valable peut mériter la confiance qu'on

lui fait en temps qu'aide à la décision. La validité garantit la probabilité de réalisation des prévisions de comportement. Il existe également une échelle de validité de 0,0 à 1,0.

Le débat sur le niveau minimum à atteindre fait apparaître le point sensible de toute la psychologie du test. Les meilleurs tests n'atteignent que 0,6 ; encore ne s'agit-il que des tests de capacité ! L'examen de la validité n'est pas seulement difficile et coûteux : il est souvent impossible. C'est pourquoi l'utilisation de certains tests est condamnable, voire criminelle ! On tremble à l'idée de ce qui sc cachc derrière une prétendue validité logique.

Pour prouver qu'un test est valable, il faut faire un examen objectif et comparatif des performances du test et de la confirmation des prévisions. Si celles-ci se réalisent, alors le test est valable.

Évidemment, il n'est pas facile de vérifier la validité d'un test lorsque la prévision porte sur le long terme, dix années par exemple. C'est la raison pour laquelle un taux de 0,6 est acceptable. Des taux inférieurs peuvent être dus à un manque de fiabilité ou une erreur de construction ; ils ne doivent alors pas servir au processus de décision.

Normalisation

Un résultat n'a de sens que s'il peut être comparé à d'autres. Par normes, on entend une échelle de comparaison selon laquelle on classifie les performances. La normalisation consiste à relativiser les résultats par rapport à une constante générale externe, par exemple le niveau moyen d'un groupe de travail et la répartition des performances par rapport à la moyenne.

Ainsi, on peut comparer les résultats des tests et des groupes différents. Les normes ont moins d'importance qu'il n'y paraît. Pas besoin d'elles pour dire qui obtient les meilleurs résultats : les données brutes suffisent !

Normaliser n'est pas tâche difficile. C'est la raison pour laquelle on met souvent en avant cette qualité pour cacher des insuffisances dans d'autres domaines.

Les normes sont comparables aux graduations d'un thermomètre. Elles indiquent la hauteur exacte du mercure quel que soit l'objet de la mesure. Les normes psychologiques n'atteignent pas encore cette précision mais en tant qu'instrument de mesure, elles donnent au test la dernière finition.

Naissance d'un test

La construction d'un test fait appel à des méthodes empiriques : on ne défie pas la nature, on l'interroge précisément. Mieux la question est posée, plus vite viennent les réponses.

Tous les psychologues ne sont pas de bons interrogateurs et rares sont les constructeurs. Il faut avoir réussi l'épreuve de la désillusion technique pour y voir clair.

Nous allons observer les phases d'un peu plus près pour montrer au profane qu'il n'y a rien de magique dans tout cela et que la méthode est accessible à tous.

La psychologie a suffisamment de courage et de conscience d'elle-même pour n'avoir rien à cacher.

Le processus de construction se décompose en trois temps : 1 = planification et collecte d'informations, 2 = analyse des informations, 3 = vérification du test.

Pendant la première phase, la créativité du psychologue doit se limiter à la définition précise du but poursuivi. La valeur du test en tant qu'instrument de mesure utilisable dépendra de la bonne compréhension de l'objet du test : que mesure-t-on ?

La position du chercheur doit être de type finaliste et utilitariste : l'idée de test se développera en fonction d'observations concrètes du comportement et non pas d'une théorie.

Le point de départ est la liste des exercices à résoudre. La charpente du test réside dans le comportement-type nécessaire à la bonne résolution des problèmes.

La première action empirique consiste à observer minutieusement le comportement du sujet pendant qu'il traite les problèmes. Les éléments significatifs constituent la mise en place des exercices.

Les tests étant généralement des tests «papier-crayon» (Paper-Pencil-Test) (souci d'économie ou but précis?), il faut retranscrire les informations issues de la phase d'observation du comportement en fonction de la spécificité des données du test-papier. Le papier limite le répertoire sémantique à des lettres et des signes visuels. L'objectivité, la fiabilité et la validité du test dépendront essentiellement de la bonne retranscription des informations.

L'utilisation du matériel verbal représente le risque que le test dépende du niveau de formation; c'est un risque que le chercheur a du mal à prendre en compte. Dans un test essentiellement basé sur la langue, le linguiste confirmé sera forcément avantagé. Des chercheurs ambitieux tentent infatigablement de développer une sorte de «méta-élément» d'informations permettant de construire des tests «vierges de culture» et indépendants du niveau de formation. On aimerait parvenir à ce qu'un test d'intelligence ne mesure vraiment que l'intelligence et non pas un niveau de culture ou de scolarité.

Une fois la retranscription effectuée, les exercices sont réunis selon le niveau de difficulté identique ou différent. Le test à l'état brut a maintenant l'aspect d'une mini-situation: les épreuves provoquent déjà, *in vivo*, un comportement représentatif de ce qu'il faut pour les réussir. Le test n'aura cette valeur d'instrument de pronostic que parce qu'il s'est concentré sur des processus comportementaux de base.

Dans la deuxième phase, le prototype sort du «laboratoire» pour affronter la réalité empirique. Un gros échantillon permettra de vérifier que les épreuves du test répondent bien aux objectifs de départ.

Dans la plupart des cas, beaucoup d'épreuves sont éliminées. En effet, seules sont conservées celles qui répondent au niveau de difficulté requis et permettent de départager suffisamment les sujets. Il ne faut pas que tout le monde puisse résoudre chaque problème, de même qu'une épreuve doit aboutir à un résultat: «bon» ou «mauvais».

La qualité du test va être préjugée. Le chercheur restera-t-il fermement sur ses positions ou cherchera-t-il un compromis? La solution de compromis, souvent préférée, conduit à des tests de faible valeur. Cette deuxième phase se termine par la standardisation de la forme des épreuves restantes et leur assemblage.

La troisième et dernière phase — phase de test — consiste à vérifier la validité et la fiabilité du test sur un grand échantillon. C'est un processus long et fastidieux mais nécessaire: les données ainsi acquises permettent d'élaborer un système de notation normalisé et surtout de vérifier que le test est bon ou mauvais.

Quelques spécialistes prédisent la fin de la seconde génération des tests. Des évolutions étonnantes se profilent déjà sous l'impulsion d'une branche récente de la psychologie: la psychotechnique à orientation physiologique. Puisque la prévision par le test se base sur un comportement type, pourquoi ne pas aller droit au but et chercher dans le cerveau même où le comportement est représenté électrophysiologiquement?

Des essais de plus en plus sérieux sont entrepris pour mesurer l'intelligence au moyen d'électroencéphalogrammes (courbes d'activité cérébrale). La troisième génération pourrait donc bien remplacer très vite la seconde. On repenserait alors en souriant au temps de la construction des tests.

Le compte à rebours du test

Mais aujourd'hui encore, on entend le signal: «Silence, SVP, le test commence!» qui signifie gaspillage de temps, stress, questionnaire, crayon, quotient, nervosité!

Tout le monde doit s'attendre à subir un jour un test psychologique. On s'étonne donc de voir des «vieux de la vieille» avoir le trac dès qu'on les soumet au test. Les réactions, sinon, sont très variées: les uns sont décontenancés parce qu'ils ne sont plus aussi sûrs d'eux-mêmes; d'autres ont carrément peur à l'idée qu'on puisse découvrir des faiblesses péniblement cachées; d'autres encore trouvent cela inacceptable, sont hargneux et de mauvaise volonté; beaucoup sont indifférents face au test comme dans la vie en général; et, bien sûr, il reste les sceptiques. D'une manière générale, toutes les réactions sont mauvaises: en privant les tests de leur impartialité, elles influencent les résultats.

On peut accepter sans réserve les bons tests en les considérant comme des aides supplémentaires à la décision. Il faut leur faire confiance. Un test ne révèle en effet aucun secret: il ne fait que retranscrire et résumer clairement ce que n'importe qui peut facilement observer.

Le but du test est bien de mettre en évidence et de mesurer les capacités mentales pour distinguer le meilleur du bon et le bon du mauvais. Cela ne vaut toutefois que pour le test de qualité.

C'est pourquoi chacun, dans son propre intérêt, devrait s'informer sur les indices de qualité des tests auxquels il est soumis.

Il faut bien entendu un certain courage pour refuser un test de qualité et risquer ainsi de passer à côté d'une possible embauche. On ne peut refuser que pour ce type de tests; dans les autres cas, un refus pourrait être interprété comme significatif et servir au diagnostic.

Un bon test psychologique mettra un point d'honneur à présenter une batterie de tests de qualité et exempts de défauts. Il faut veiller à ce que l'examen par test soit mené ou dirigé par un psychologue diplômé. Lui seul sera en mesure de bien définir les rôles de chacun et de mettre les sujets à l'aise. Le principal intéressé est bien le testé et non le testeur. Il faut donc abandonner l'attitude passive face au «testeur». Le testé doit être actif, c'est-à-dire qu'il doit n'avoir de cesse jusqu'à ce qu'il ait effectivement bien compris les recommandations. Dès que le chronomètre est mis en marche, il est trop tard!

Beaucoup n'osent pas retarder le départ par des questions de compréhension. Pourtant, à l'arrivée, seuls les résultats comptent! Un autre danger consiste à commencer un test pendant la lecture des recommandations parce qu'on croit avoir tout compris, dans l'espoir d'obtenir davantage de points. C'est stupide, car on peut alors avoir manqué un détail absolument nécessaire aux solutions. A l'instar des recommandations et pour les mêmes raisons, l'exemple est souvent ignoré. On ne le prend pas au sérieux parce qu'il est trop facile ou on le saute directement pour passer tout de suite aux épreuves. L'exemple explique le principe de l'épreuve et celui de la solution. On remarque trop tard qu'on n'a pas bien compris et le temps passe, passe...

En fait, tout devrait bien se passer pour quelqu'un de normalement constitué, en bonne forme physique et mentale. On n'a pas besoin de se préparer comme pour un examen. Les tests n'exigent rien d'impossible, ils servent uniquement à mettre en évidence, clairement et objectivement, des aptitudes et leur structure. Celle-ci existe déjà et ne peut être modifiée par un test. On se prépare au mieux en évitant les émotions et en considérant qu'il s'agit d'une activité tout à fait naturelle, comparable au travail quotidien. D'ailleurs, ce dernier n'est fondé dans notre société que sur la performance, il n'est qu'une longue série de tests plus ou moins importants.

Le test, de par sa nature de «mini-situation», devient quotidien. A l'avenir, serons-nous entourés de tests autant que d'automobiles? Et qui trouve les automobiles extraordinaires?

DEUXIÈME PARTIE

Introduction

L'ambition de ce livre n'est pas de répondre aux attentes des «fans» du test, qui ne connaissent en général rien à la psychologie, ni aux principes et aux théories du test.

On ne peut sincèrement pas apporter grand-chose avec de la théorie; les exercices pratiques valent bien mieux; nous n'essaierons pas d'embrouiller une fois de plus les profanes avec un merveilleux discours théorique. Ce livre ne doit pas seulement être lu, il doit être un prétexte pour jouer, penser, déchiffrer, s'entraîner, se casser la tête!

À cet effet, la seconde partie du livre contient de nombreuses possibilités de se tester facilement et surtout utilement. Ce livre veut offrir davantage qu'un simple jeu à caractère scientifique.

Des documents concrets — et il y en a en suffisance dans la seconde partie — valent plus qu'une tentative longue, fastidieuse et sans doute vaine de distinction entre la théorie et la pratique.

Être attentif et s'exercer, voilà les activités essentielles; l'une découle de l'autre. Soutenir son attention trop longtemps est fatigant; s'entraîner et apprendre directement sur base de documents est amusant.

Penser et agir vont de pair: l'amateur de test ne doit pas seulement pouvoir assembler de nouvelles expériences intellectuelles; il doit aussi avoir des capacités d'action. Ce livre présente au moins l'avantage d'en offrir suffisamment. Il aurait tout aussi bien pu s'intituler «l'école du test». Comme il a déjà été écrit plus haut, l'école de l'intelligence est aussi celle du test et vice versa.

Un collègue plaisanta un jour à propos du travail de construction de tests: «Les tests de Klausnitzer sont à l'intelligence ce que les sonates de Kreutzer sont au violon.» La seconde partie offre à chacun la possibilité de connaître et comprendre les tests de capacité usuels et sérieux. Chacun peut à loisir grandir «de l'intérieur», voire se surpasser en résolvant des exercices.

La connaissance des tests peut avoir deux types de conséquences: d'un côté, l'effet de nouveauté n'agira plus autant lors des prochains tests; de l'autre, cela permet de ne plus être désavantagé par rapport à beaucoup de candidats qui ont, eux aussi, une certaine habitude des tests. En effet, cet effet de nouveauté déstabilise le résultat final.

L'apprentissage des tests est facilité ici par le principe de la difficulté croissante; les «premières leçons» sont faciles mais s'enchaînent rapidement à d'autres de plus en plus difficiles. Attendez-vous donc à ne pas pouvoir tout faire. Pour une intelligence moyenne, 30 à 40 % des épreuves de chaque leçon ne poseront pas de difficultés majeures; 40 % exigent une intelligence de beaucoup supérieure à la moyenne (si l'on veut les réussir dans les temps). Les 20 % restants ne sont à la portée que d'une «élite» ou de personnes bien entraînées.

Voici donc suffisamment de matière pour élever son «QI» petit à petit. Précisons toutefois que le temps de résolution de chaque épreuve doit être limité à une fourchette allant de **3 à 5 minutes**. Au début, un peu plus de temps sera nécessaire. Les ambitieux qui souhaitent connaître exactement leur niveau ne s'accorderont que deux minutes maximum. Le verdict repose essentiellement sur le nombre de bonnes réponses.

Il est conseillé de vérifier les réponses de chaque test après l'avoir fait. Ces tests ont pour but de préparer aux tests psychologiques usuels. C'est pourquoi certains peuvent faire l'objet de controverses. Il s'agit des tests de maîtrise linguistique qui sont liés au niveau de formation et ceux de maîtrise des chiffres sur lesquels les avis des experts divergent: les exercices sur la règle de trois mesurent-ils vraiment la capacité à compter ou seulement le degré d'aptitude à manipuler des chiffres? Ils sont inclus ici en raison de la forte probabilité de les rencontrer parmi les tests existants.

Toutefois, la majorité des tests proposés ici sont

récents et répondent aux critères minima (liberté d'expression, échelonnage psychométrique des niveaux de difficulté).

Les tests se suivent en fonction de leur appartenance aux cinq domaines d'intelligence (maîtrise linguistique, perception de l'espace, aptitude à compter, capacité de réflexion et de combinaison). Par capacité de réflexion, il faut entendre l'esprit d'analyse et de thèse (aptitude à identifier des règles ou des logiques); par capacité de combinaison, il faut comprendre esprit de synthèse (reconnaissance de rapports, de points communs).

Les hypothèses de base à la construction des tests se confirment par l'expérience: il y a des individus qui résolvent certains problèmes plus vite et mieux que d'autres. On les dit «intelligents». Dans le sens où chacun de ces exercices exige un comportement mental intelligent, sont intelligents ceux qui peuvent les résoudre vite et bien!

Si l'on voulait être précis, il faudrait ajouter des guillemets au mot test. On a exigé de n'appeler tests que ceux dont il est clair qu'ils répondent à certains critères de qualité. Ici, il s'agit de «tests» dans le sens où leurs qualités (fiabilité, normalisation) n'ont été éprouvées que sur un échantillon relativement petit. En outre, la standardisation nécessaire n'est pas possible puisque chaque lecteur se trouve dans une situation propre. Les résultats donnent donc une image certes grossière mais représentative des capacités mentales.

Il n'y a pas de recommandations spécifiques à chaque test. La façon dont les exercices sont assemblés est une indication suffisante. Laissons à l'ingéniosité du lecteur le soin de trouver les nombreuses possibilités d'utilisation de ces exercices.

À titre d'exemple, on pourra travailler leçon par leçon, page par page; résoudre les exercices par ordre décroissant (5e, 4e, 3e, etc.). Le rythme de travail dépendra des objectifs à atteindre: s'agit-il de définir ses capacités actuelles, de se divertir de façon intéressante ou de s'entraîner sérieusement? Dans le chapitre: «À combien s'élève votre QI?», un tableau permet de mesurer son quotient intellectuel (QI) général et son QI propre à chacun des cinq domaines d'intelligence. Chacun pourra ainsi apprécier approximativement (les QI obtenus n'auront certes pas de précision scientifique) ses capacités et son profil dans chacun de ces domaines. Le «mode d'emploi» de chaque leçon doit être rigoureusement respecté. Un exemple explique l'exercice et le principe de résolution de celui-ci.

L'heure de vérité arrive! Après la leçon 1 en guise d'échauffement, il y aura la leçon-test 2!

Nous vous souhaitons beaucoup de plaisir et bonne chance!

Leçon-test 1

Le sportif de l'esprit est comme un sprinter avant le 200 m: il va estimer ses chances, optimiser sa confiance en lui, se concentrer au maximum, s'échauffer suffisamment.

C'est précisément dans le but de s'échauffer avant le départ que nous vous proposons deux «exercices tests» aux desseins très clairs. Ces deux tests doivent révéler qui sait avec raison faire preuve d'assurance, de juste appréciation et de prudence.

a) Test d'auto-évaluation

Le «test d'intelligence» qui suit est une sorte de test d'auto-évaluation. Il doit nous confirmer si nous nous sommes au fond fait une fausse idée de nous-même ou si nous nous sommes en fait injustement méconnu.

Question: ***Êtes-vous intelligent?***

Cochez la bonne réponse.

très	**1**
assez	**2**
moyennement	**3**
peu	**4**
très peu	**5**

La notice explicative et l'interprétation du test sont fournies page 52.

b) Test de jugement

Le test de jugement suivant mesure notre capacité à nous laisser troubler dans notre faculté de jugement par des préjugés, des illusions et des espoirs.

Observation :

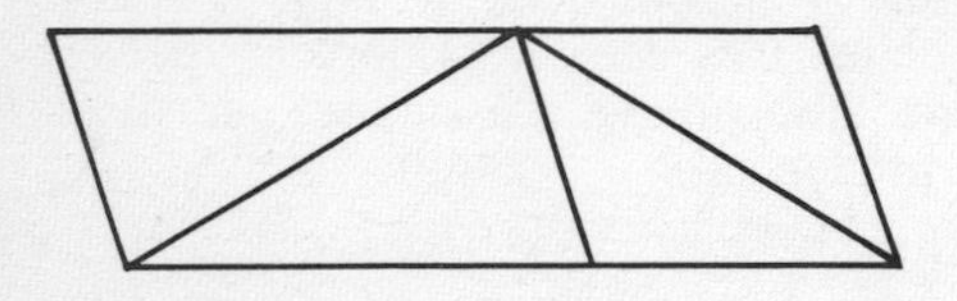

1. *Les deux diagonales sont de même longueur.* **Oui / Non**

2. *Les trois points sont à égale distance les uns des autres.* **Oui / Non**

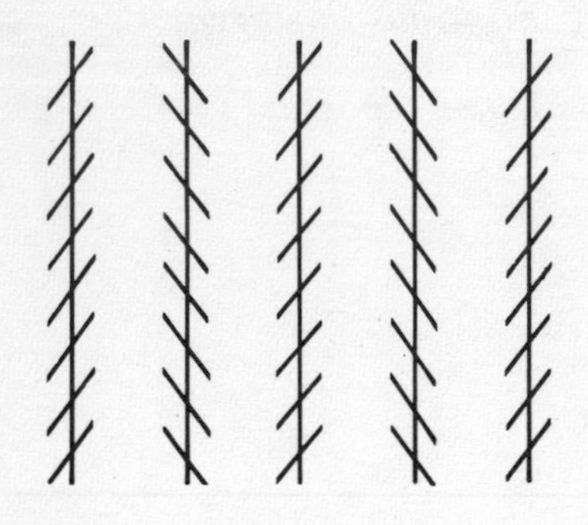

3. *Les lignes verticales sont absolument droites.* **Oui / Non**

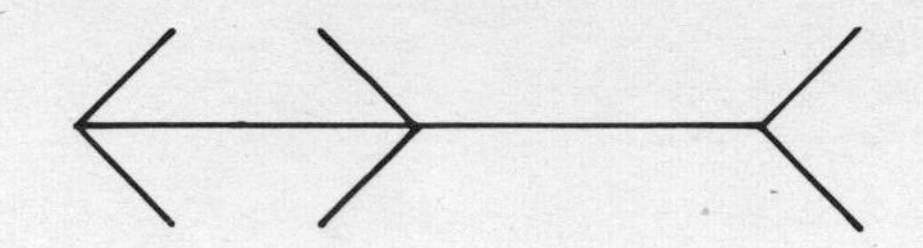

4. *Les angles sont à égale distance les uns des autres.* **Oui / Non**

La notice explicative et l'interprétation du test sont fournies page 52.

Notices explicatives et interprétations des tests a) et b)

a) *Avez-vous choisi*

1 = très intelligent
2 = assez intelligent
3 = moyennement intelligent
4 = peu intelligent
5 = très peu intelligent

1 = Vous êtes un génie. Et si vous n'en êtes pas un, vous pourrez être désagréablement surpris.
2 = Vous avez une trop haute opinion de vous-même; espérons que vous saurez être à la hauteur.
3 = Rien ne peut vous arriver. Le meilleur comme le pire des résultats serait probablement pour vous une question de chance ou de malchance, selon le cas.
4 = La modestie est tout à votre honneur mais vous devriez avoir la volonté de terminer avec un résultat légèrement meilleur.
5 = Nous sombrons ici dans l'incompréhension. Qui doit vous lire les explications? Savez-vous écrire?

b) *Quel score avez-vous obtenu?*

Un «oui» compte un point, un «non» compte zéro point.

4 points On ne peut rien vous apprendre, rien ne vous échappe. Vous avez un regard objectif sur la réalité. N'avez-vous pas toujours voulu étudier la psychologie?

2-3 points Vous répondez, dans votre capacité de jugement, au cliché et à la manière de penser de la majeure partie de notre société. Et si vous deveniez politicien?

entre 0 et 1 point On peut tout vous faire croire. Vous n'avez aucune idée de ce qu'est un jugement personnel et juste.

LA MAITRISE DE LA LANGUE

Les leçons qui suivent vous donnent l'occasion de démontrer certaines de vos capacités :

- Capacité à saisir et comprendre le sens des mots.
- Maîtrise de la langue et esprit de synthèse.
- Formation de concepts.
- Richesse de vocabulaire et éloquence.
- Capacité à l'abstraction linguistique.
- Sensibilité à la langue.

Leçon-test 2

EXISTANCE
Ici, il saute aux yeux que le mot EXISTANCE est mal orthographié.

Quelle faute se cache dans ce mot?

EXISTENCE s'écrit EN et non AN.

Dans les exemples suivants, nous devez vérifier l'orthographe de chaque mot. Certains sont mal orthographiés. Lesquels? Attention, tous ne sont pas faux.

1. NONBRE
2. DEPRESION
3. MAGNIFICIENCE

10. LUXEMBOURG
11. EFFICIENCE
12. CAUCHEMARD

4. MISOGINE
5. MONACO
6. MAGO

13. GAGG
14. CARABINIER
15. COLLISION

7. DUMPING
8. OPTION
9. OBOLLE

16. PREDICAT
17. PRESANT
18. PHILLIPINES

19. QUARANTAINE
20. CELLULOID
21. EMMULSION

22. ACCOMPTE
23. ATTELE
24. BLASPHEME

25. PRETERITT
26. AGRESSION
27. ZENITH

28. ARBORIGENE
29. PELOPONNESE
30. ABESSE

31. PERSONAGE
32. PERONIER
33. OVATIONER

34. PREBENDE
35. ANTHRAX
36. ACQUISITION

37. PROTECTEUR
38. APPARTHEID
39. COCARDE

40. ZEPPELIN
41. TUILLERIE
42. MIMETISME

43. ACCELERATION
44. DECCELERATION
45. COULLEUR

Leçon-test 3

PAVERIRAINSIENRI
Cette succession de lettres n'a, à première vue, aucun sens. Mais après examen plus attentif, on peut en extraire des syllabes qui, si elles sont correctement assemblées, donnent deux substantifs.

Quels mots peut-on former à partir de cette suite de syllabes en désordre

On obtient les deux termes: PARISIEN et RIVERAIN

Vont suivre d'autres exemples. Il vous faut identifier les syllabes pour pouvoir ensuite les combiner et finir ainsi par trouver les deux mots initiaux.

1. **DOINCUGENDICEMENT**
2. **COPATEHUERE**
3. **SATOVOIRTESRIAU**
4. **SOUFANSIETAIRIS**
5. **BACRERESSELLASTTAIRE**

6. **PAMESRENTSETRE**
7. **ABEPOSTOBARLAT**
8. **MIRIVALLIONNAIRE**
9. **BOINSMENTTATRUNIQUE**
10. **IMBITUPARMEFAIT**

11. OILEPOUSEAU
12. FADRICENRINEER
13. DISAQUENASNA
14. PISRITELETTO
15. GRACOMREMENTPLIVU

16. CENGALOSUTHMERIRE
17. BOUQUETTEILLEBRI
18. MYSUTISUQUEFRUIT
19. PASCARADEPAESLETO
20. PROEXSANTCAPOTEURVO

21. TRACLAMTEURPE
22. DEINSNONCRIPCIATIONTION
23. OMANPETEAURA
24. TACABOULIERVARET
25. MOUFETRENECHOIR

Leçon-test 4

Bateau	a
Voile	b
Gouvernail	c
Eau	d

Un des mots ne s'intègre pas aux trois autres. Lequel?

BATEAU, VOILE et GOUVERNAIL vont ensemble puisque tous trois sont des éléments de la rubrique «Bateau». EAU par contre ne fait pas partie du bateau, elle n'est pas un élément essentiel au bateau.

Il ne faut pas prendre en considération que, sans eau (mer, lac, etc.), un bateau n'a aucune raison d'exister.

Dans les exemples suivants vous sont présentés des ensembles de quatre mots parmi lesquels il vous faut trouver celui qui ne convient pas.

Exercice 1

Carré	a
Dé	b
Triangle	c
Rectangle	d

Exercice 2

Rive	a
Mer	b
Marée haute	c
Marée basse	d

Exercice 3

Poème	a
Musique	b
Chanson	c
Drame	d

Exercice 4

Ovale	a
Rond	b
Lisse	c
Forme	d

Exercice 5

Artiste	a
Roman	b
Statue	c
Strophe	d

Exercice 6

Toujours	a
Souvent	b
Entier	c
Chacun	d

Exercice 7

Règle	a
Buvard	b
Stylo	c
Encre	d

Exercice 8

Poids	a
Hauteur	b
Largeur	c
Longueur	d

Exercice 9

Ordinaire	a
Vulgaire	b
Pauvre	c
Banal	d

Exercice 10

Hymne	a
Chanson	b
Poème	c
Choral	d

Exercice 11

Partition	a
Baryton	b
Wagner	c
Compositeur	d

Exercice 12

Noix	a
Coquillage	b
Cosse	c
Melon	d

Exercice 13

Médecin	a
Dactylo	b
Politicien	c
Manager	d

Exercice 14

Criminel	a
Loi	b
Tribunal	c
Juge	d

Exercice 15

Château	a
Tour	b
Pierre	c
Châtelain	d

Exercice 16

Collabo	a
Expulsé	b
Déserteur	c
Renégat	d

Exercice 17

Etoiles	a
Ciel	b
Cosmos	c
Univers	d

Exercice 18

Chasse	a
Gâchette	b
Coup	c
Balle	d

Exercice 19

Gramme	a
Poids	b
Masse	c
Lourdeur	d

Exercice 20

Montre	a
Midi	b
Nuit	c
Année	d

Exercice 21

Fenêtre	a
Vue	b
Verre	c
Vitre	d

Exercice 22

Imiter	a
Simuler	b
Reproduire	c
Faire écho	d

Leçon-test 5

ORFOSEM
Cette succession de lettres semble à première vue n'avoir aucun sens. Mais, si l'on replace dans un bon ordre les lettres ici en désordre, on obtient alors un mot tout à fait sensé.

Quel mot se cache derrière ce charabia?

FORMOSE

En replaçant les lettres à leur place initiale, on trouve ainsi le mot recherché.

Exercices 1-45

Rrouvez un mot qui se cache derrière chacun des exemples suivants?

1. ETOMONI	7. OPARLE	13. AFRIK
2. ILANE	8. PTOER	14. TOVE
3. UBONS	9. NSIOAR	15. METOT

4. WISTT	10. ILESM	16. CELAT
5. ESOND	11. LEPO	17. ISMERE
6. SNGEI	12. TURECAF	18. SETUREC

19. CELLOTCE
20. LIBOVIE
21. MINOTERU

22. LEPICO
23. CHTAS
24. QUTESION

25. ITQUEOXE
26. SIMENIOS
27. MOSUAELE

28. TEDITENI
29. MEDOER
30. ARRECAGON

31. TRIOTTOR
32. ORLOPETEM
33. CENISYM

34. PERSSONI
35. ACOSSAITONI
36. CESOTIE

37. TARIAN
38. TINETRI
39. ABELANI

40. CHESOMOROM
41. SONILEGUO
42. ULREGALI

43. VERITIS
44. BEATUA
45. TEROLAENC

Leçon-test 6

REV -	. . . . - TEAU
SOMM -	. . . . - TTOIR
EIL	**BA**

Les deux mots commençant par REV et SOMM ont une syllabe finale commune.

Ceux terminés par TEAU et TTOIR commencent par la même syllabe.

Quelles sont les syllabes communes à ces différents mots ?

REVEIL et SOMMEIL ont comme syllabe commune la syllabe finale **EIL**.
BATEAU et BATTOIR commencent par la même syllabe, à savoir **BA**.

Dans les exercices suivants, trouvez les syllabes communes aux termes proposés.

1. RAMA - . . . . .
   MA - . . . . .

2. RAI - . . . .
   VI - . . . .

3. RAMA - . .
   RALLON - . .
   RATA - . .

4. RA - . .
   HO - . .

5. AC - . . .
   NA - . . .
   CHE - . . .

6. COU - . . . .
   PIROU - . . . .
   ALOU - . . . .
   GIROU - . . . .

7. . . . - CADEUR
   . . . - QUE
   . . . - BAH

8. . . . - BUSTION
. . . - BLES
. . . - BINE

---

9. COLO - . . .
SOU - . . .

---

10. . . - STRUCTION
. . - SERVATION
. . - TUS

---

11. AC - . . . .
PLANTA - . . . .
AMBI - . . . .
NEGA - . . . .

---

12. . . - NIBLE
. . - NICHE
. . - AGE
. . - CULE
. . - NOMBRE

---

13. . . . - LER
. . . - ILLEMENT
. . . - CHETIS
. . . - DJAHID

---

14. . . - FENSE
. . - DIT
. . - FI
. . - CRET

---

15. RI - . .
VI - . .

---

16. . . - RENT
. . - TIENT
. . - RI
. . - ROI
. . - ON
. . - NACHE

---

17. . . - VIN
. . - TION
. . - DEAU
. . - BAIS
. . - DIAN

---

18. . . - SE
. . - RIL
. . - RAQUE
. . - LAI
. . - GUE

Leçon-test 7

RAPIDE : LENT = HAUT : ?
a) POINTU b) BAS c) PLAT d) MONTAGNE

Les trois mots mis en équation ci-dessus ainsi que le quatrième qu'il nous faut choisir parmi les propositions a, b, c et d sont étroitement liés les uns aux autres.

Le rapport RAPIDE / LENT traduit une certaine relation. Celle entre HAUT et a, b, c ou d doit être de même nature. Le mot recherché doit donc avoir avec HAUT le même rapport de comparaison que RAPIDE avec LENT.

LENT est le contraire de RAPIDE. Si le contraire de RAPIDE est LENT, le contraire de HAUT est BAS. C'est donc b) qu'il faut choisir à la place du point d'interrogation. La relation de contraire dans la comparaison avec HAUT ne peut exister que par BAS.

Exercices 1-16

Les exercices suivants sont identiques à l'exemple précédent. Mais n'oubliez pas qu'il peut exister plusieurs relations possibles entre les mots en question.

1. FLEUR : SENTEUR = DANSE : ?
a) MUSIQUE b) RYTHME
c) GRÂCE d) MOUVEMENT

2. LIVRE : ROMAN = FOURCHETTE : ?
a) COUVERT b) COUTEAU
c) FOURCHETTE À DESSERT d) ASSIETTE

3. TABLEAU : COULEUR = PHOTO : ?
a) MOTIF b) LUMIÈRE
c) FILM d) LENTILLE

4. MÉDECIN : PATIENT = CONSEILLER FISCAL : ?

a) ÉTUDE — b) HÔTEL DES IMPÔTS

c) SECRÉTAIRE — d) CLIENT

5. PERDRE : TROUVER = OUBLIER : ?

a) VENIR À L'ESPRIT — b) PENSER

c) CHERCHER — d) RÉFLÉCHIR

6. LONGUEUR DE CORDE : TONALITÉ = HAUTEUR DE SOMMET : ?

a) VUE — b) PRESSION DE L'AIR

c) FORCE DU VENT — d) SILENCE

7. RAPIDITÉ : VITESSE = TEMPÉRAMENT : ?

a) ÉNERGIE — b) TYPE

c) ARDEUR — d) ACTION

8. ESPOIR : CONFIANCE = RÉSIGNATION : ?

a) MOROSITÉ — b) CRAINTE

c) SCEPTICISME — d) MAUVAISE HUMEUR

9. CONSOLATION : TRISTESSE = OASIS : ?

a) HUMIDITÉ — b) DÉSERT

c) JOIE — d) VIE

10. EAU : PROFONDEUR = DISCOURS : ?

a) SAVOIR — b) PUBLIC

c) MOTIF — d) COURAGE

11. JUGEMENT : MÉFIANCE = SOUPÇON : ?

a) HAINE — b) TIMIDITÉ

c) DÉFIANCE — d) PEUR

12. ROMANTIQUE : NOSTALGIE = CROYANCE : ?

a) RELIGION — b) DOUTE

c) PRIÈRE — d) FERVEUR

13. PARENTS : HUMANITÉ = MAÎTRE : ?

a) PROGRÈS — b) FORMATION

c) LIVRES — d) ÉCOLIERS

14. CLARTÉ : IDÉE = LUMIÈRE : ?

a) ATTENTION
b) PERCEPTION
c) ASSOCIATION
d) PENSÉES

15. ÉVÉNEMENT : DESTIN = COMPORTEMENT : ?

a) ÊTRE HUMAIN
b) HASARD
c) ENVIRONNEMENT
d) VIE

16. POUVOIR : HISTOIRE = VIOLENCE : ?

a) ÉVOLUTION
b) ÉPOQUE
c) POLITIQUE
d) PASSE

Leçon-test 8

… égale HAUT comme VITESSE égale …

1) RAPIDE	2) AIR	3) FREIN	4) LEGER
A) HAUTEUR	B) MILIEU	C) TEMPS	D) CHEMIN

Deux mots manquent à l'équation établie ci-dessus entre HAUT et VITESSE. Afin que cette équation soit juste, il faut remplacer les points de suspension par deux termes choisis parmi ceux proposés de 1 à 4 et de A à D. 1 à 4 concernent le mot à placer avant l'équation : A à D ceux après l'équation. Ils doivent être choisis dans le but de compléter l'équation afin de lui donner tout son sens.

Lequel des deux mots doit-on choisir pour compléter l'équation précitée et lui donner ainsi tout son sens ?

1) RAPIDE
A) HAUTEUR

Seuls les quatre concepts RAPIDE, HAUT, VITESSE et HAUTEUR ont entre eux une relation justifiée dans l'équation citée en exemple. VITESSE et HAUTEUR sont les substantifs de RAPIDE et HAUT.

Exercices 1 - 10

Les exemples suivants sont construits sur le même modèle. N'oubliez pas que n'importe quelle relation de comparaison peut exister pour trouver la solution à ces équations.

1. … égale SIGNATURE comme BŒUF égale …

1) ENCRE	A) ESPÈCE
2) CRAYON	B) CONTRAT
3) LETTRE	C) PÂTURAGE
4) PAPIER	D) MARQUÉ AU FER ROUGE

2. … égale CAFÉ comme GOBELET égale …

1) PHRASE	A) GOSIER
2) TASSE	B) ÉTAIN
3) SOIF	C) VIN
4) ARÔME	D) PLATEAU

3. … égale FÊTE comme RIRE égale …

1) CÉRÉMONIE	A) JOIE
2) OCCASION	B) PÉTULANCE
3) DRAPEAU	C) APPLAUDISSEMENTS
4) ATMOSPHÈRE	D) POINTE

4. … égale SOMMET comme SOL égale …

1) ROCHER	A) LARGEUR
2) VUE	B) SOCLE
3) HAUTEUR	C) LONGUEUR
4) POINTE	D) FENTE

5. … égale POLICE comme PROCÉDURE JURIDIQUE égale …

1) RECHERCHES	A) PIÈCES
2) ÉTAT	B) LES FAITS
3) INDICATION	C) AVOCAT
4) ANNONCE	D) PLAINTE

6. … égale BILLET DE LOTERIE comme CINÉMA égale …

1) CHANCE	A) ÉCRAN
2) GAIN	B) ACTION
3) MISE	C) TICKET D'ENTRÉE
4) TENSION	D) FILM

7. … égale CHEF D'ORCHESTRE comme AVION égale …

1) MUSIQUE	A) PILOTE
2) PUBLIC	B) TEMPS
3) BAGUETTE	C) TYPE D'AVION
4) ORCHESTRE	D) HAUTEUR

8. … égale TITRE comme ÊTRE HUMAIN égale …

1) AUTEUR	A) ASPECT
2) LIVRE	B) ÂGE
3) PRIX	C) NOM
4) ÉDITION	D) CRÉATEUR

9. … égale CEINTURE comme AUTO égale …

1) PANTALON	A) CAOUTCHOUC
2) LIEN	B) JANTES
3) CUIR	C) PNEUS
4) CORDON	D) ROUTE

10. … égale RÉFLEXION comme POSSIBILITÉ égale …

1) INTÉRÊT	A) SUCCÈS
2) OCCASION	B) INTENTION
3) PROBABILITÉ	C) SÛRETÉ
4) CERTITUDE	D) CALCUL

PERCEPTION DE L'ESPACE

Les leçons suivantes vous permettent de tester :

- Dimension de l'espace de pensée.
- Aptitude à la représentation.
- Richesse de représentation.
- Réflexion.
- Capacité à reconstituer des figures.

Leçon-test 9

Le volume représenté ci-dessous a la forme d'un parallélépipède rectangle.

De combien de faces se compose-t-il?

6 7 8 9 10 11 12 13 14 15

Un parallélépipède rectangle, comme un dé par exemple, a six faces. La bonne réponse est donc 6.

Exercice 1

De combien de faces se compose ce volume?

6 7 8 9 10 11 12 13 14 15

Exercice 2

De combien de faces se compose ce volume?

6 7 8 9 10 11 12 13 14 15

Exercice 3

De combien de faces se compose ce volume?

6 7 8 9 10 11 12 13 14 15

Exercice 4

De combien de faces se compose ce volume?

6 7 8 9 10 11 12 13 14 15

Exercice 5

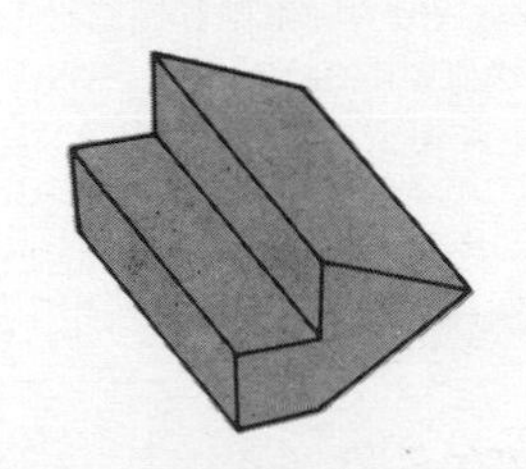

De combien de faces se compose ce volume?

6 7 8 9 10 11 12 13 14 15

Exercice 6

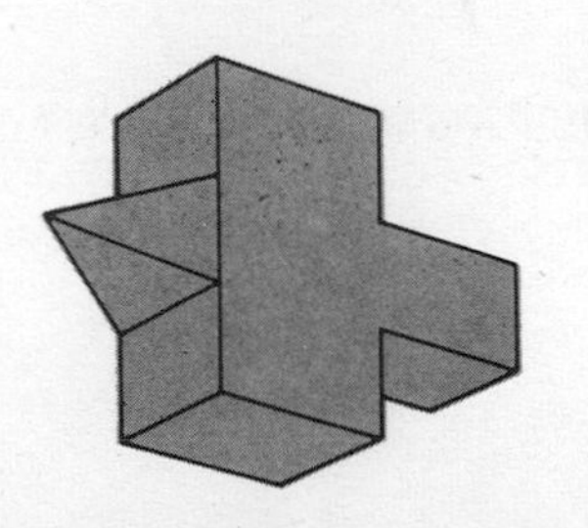

De combien de faces se compose ce volume?

6 7 8 9 10 11 12 13 14 15

Leçon-test 10

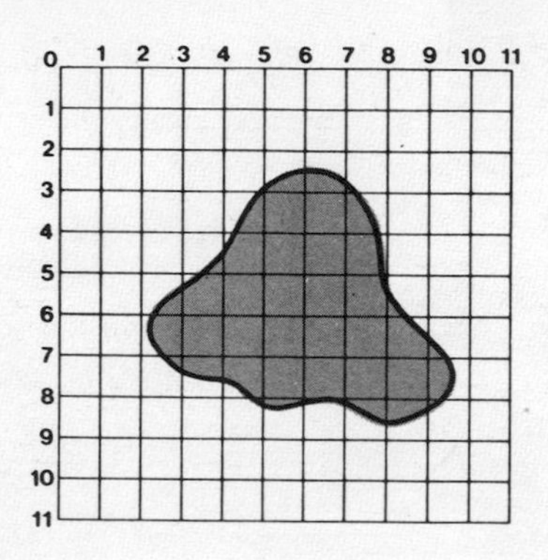

Le centre de gravité de cette surface se trouve exactement à l'une des intersections du quadrillage. Supposons, pour se représenter concrètement la chose, que l'on découpe la surface en question et qu'on la maintienne en équilibre sur la pointe du stylo; l'équilibre sera maintenu et la feuille ne tombera pas aussi longtemps que le centre de gravité reposera sur la pointe du stylo.

À quelle intersection du quadrillage se trouve le centre de gravité?

Le centre de gravité de la figure représentée ci-dessus se trouve exactement au point 6-6 de la page quadrillée (point 6 en ligne horizontale et également 6 en ligne verticale).

Exercices 1 - 10

Déterminez à quel point d'intersection de la feuille quadrillée se trouve le centre de gravité dans les exemples suivants.

1 2 3 4 5 6 7 8 9 10

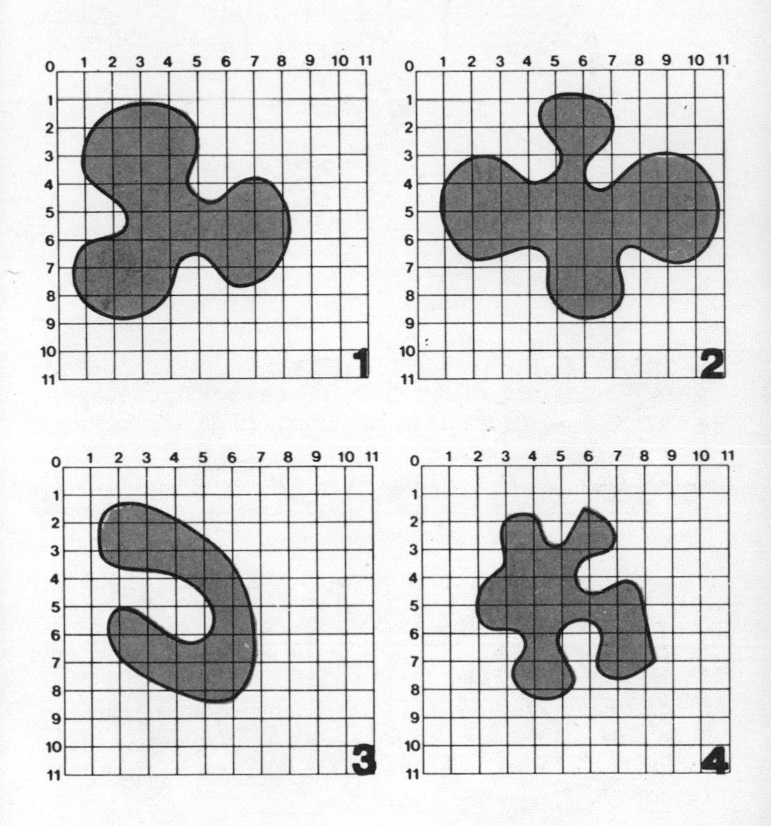

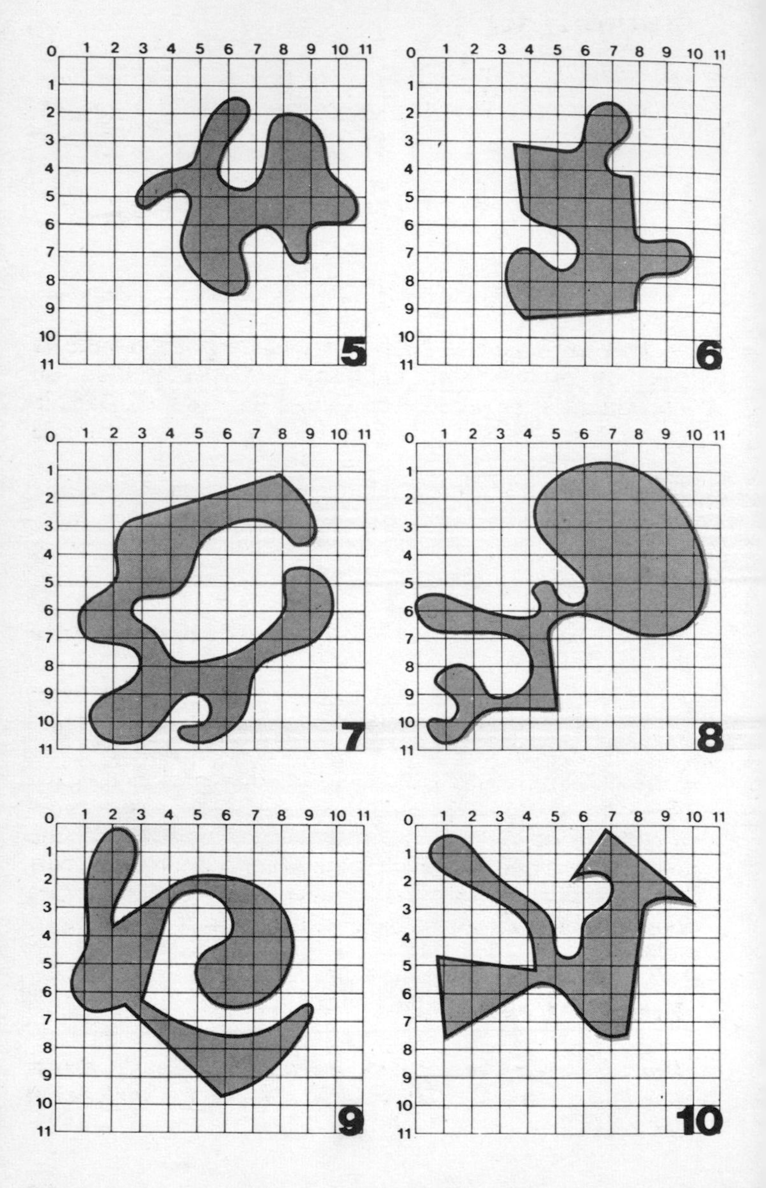
0 1 2 3 4 5 6 7 8 9 10 11
5
6
7
8
9
10

Leçon-test 11

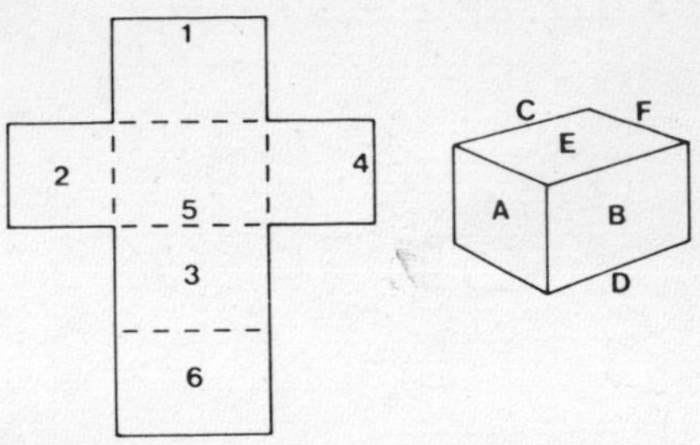

Si l'on découpait la figure de gauche pour ensuite la plier en prenant soin de respecter les pointillés, on obtiendrait alors la représentation d'un volume. Dans le cas présent, il s'agit d'un parallélépipède (voir figure de droite).
Les chiffres de la figure dépliée correspondent aux lettres du parallélépipède et selon leur position respective, ils indiquent une surface (position centrale) ou un bord (position latérale).

Dans l'exemple cité, quelle est la correspondance entre les chiffres et les lettres?

1. A B C D E F	**2.** A B C D E F
3. A B C D E F	**4.** A B C D E F
5. A B C D E F	**6.** A B C D E F

1 correspond à C: tous deux de par leur position latérale représentent un côté. De même pour 2, 3 et 6 qui correspondent à A, B et E (surfaces); 4 et 5 à F et D. Ces bonnes réponses sont à biffer d'une croix.

Exercices 1 - 6

Dans les exemples suivants, à vous d'établir la correspondance entre les chiffres et les lettres, les surfaces et les côtés.

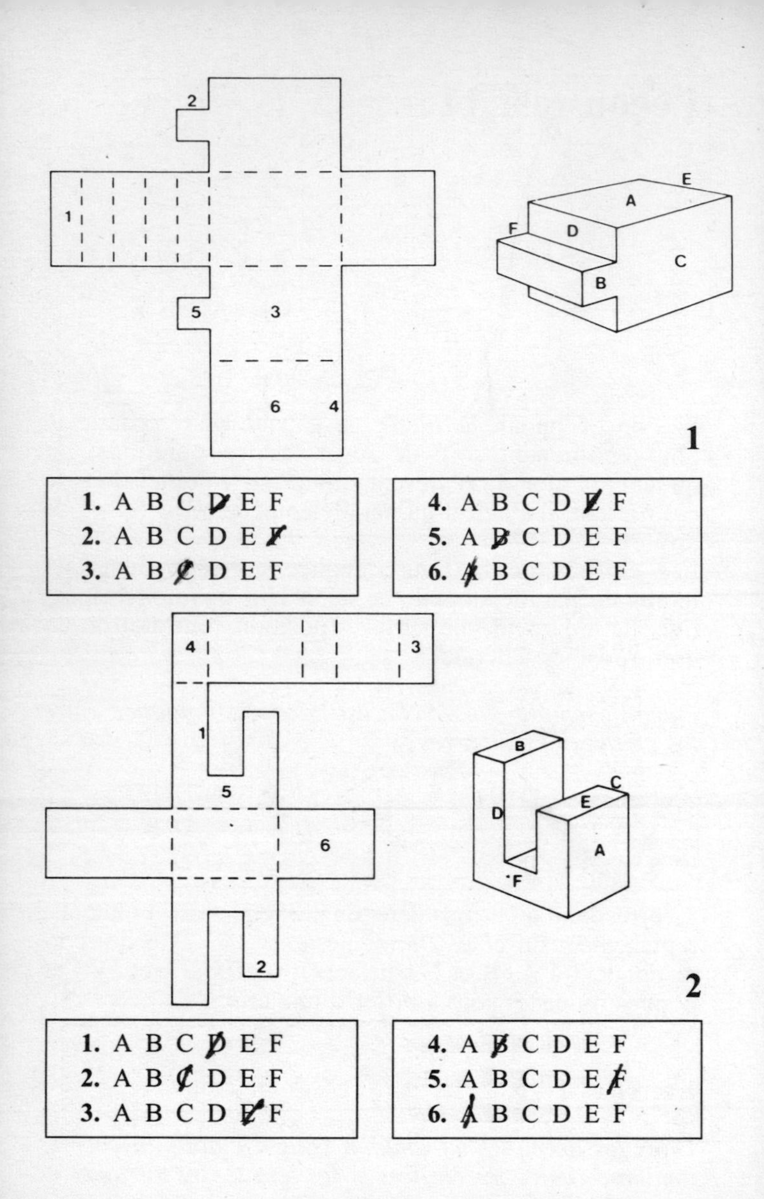
2
1
5
3
6
4
A
E
F
D
C
B
1
1. A B C D E F
2. A B C D E F
3. A B C D E F
4. A B C D E F
5. A B C D E F
6. A B C D E F
4
3
1
5
6
2
B
C
E
D
A
F
2
1. A B C D E F
2. A B C D E F
3. A B C D E F
4. A B C D E F
5. A B C D E F
6. A B C D E F

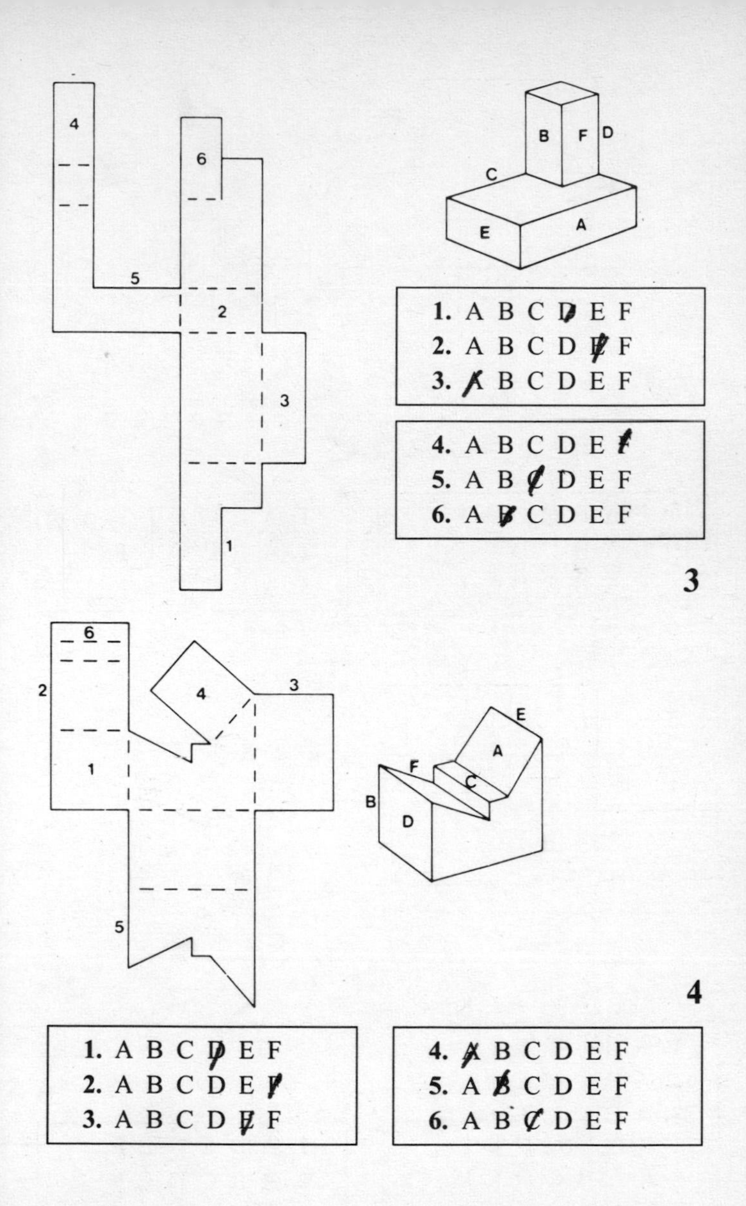
4
6
5
2
3
1
B
F
D
C
E
A
1. A B C D E F
2. A B C D E F
3. A B C D E F
4. A B C D E F
5. A B C D E F
6. A B C D E F
3
6
2
4
3
1
5
E
A
F
C
B
D
4
1. A B C D E F
2. A B C D E F
3. A B C D E F
4. A B C D E F
5. A B C D E F
6. A B C D E F

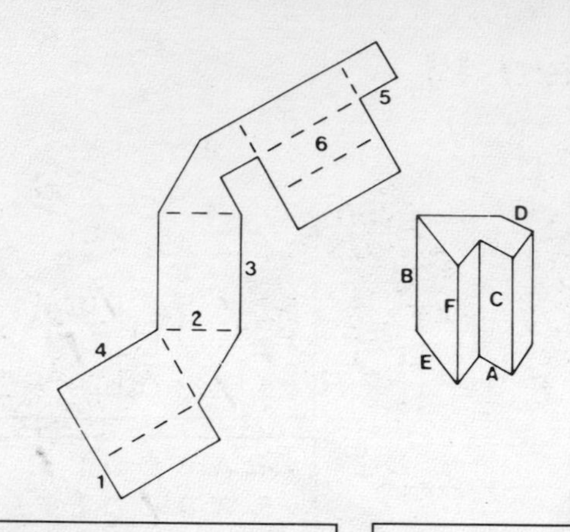

5

1. A B C D E F **2.** A B C D E F **3.** A B C D E F	**1.** A B C D E F **2.** A B C D E F **3.** A B C D E F

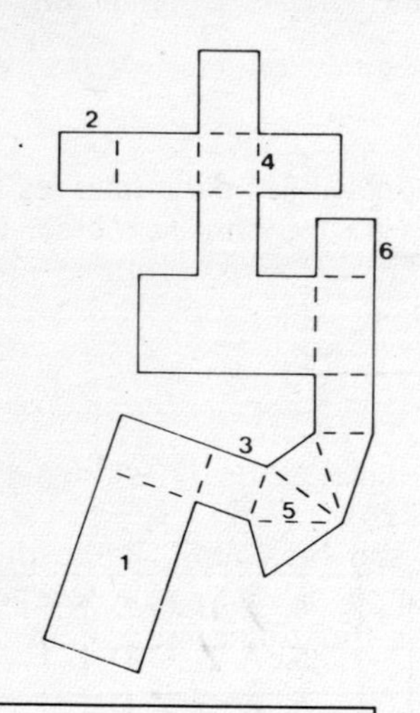

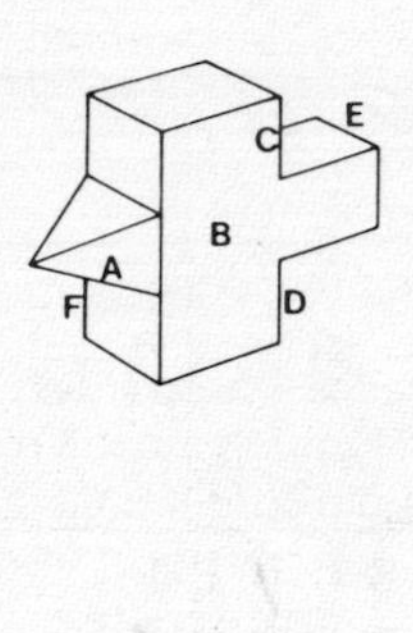

6

1. A B C D E F **2.** A B C D E F **3.** A B C D E F	**1.** A B C D E F **2.** A B C D E F **3.** A B C D E F

Leçon-test 12

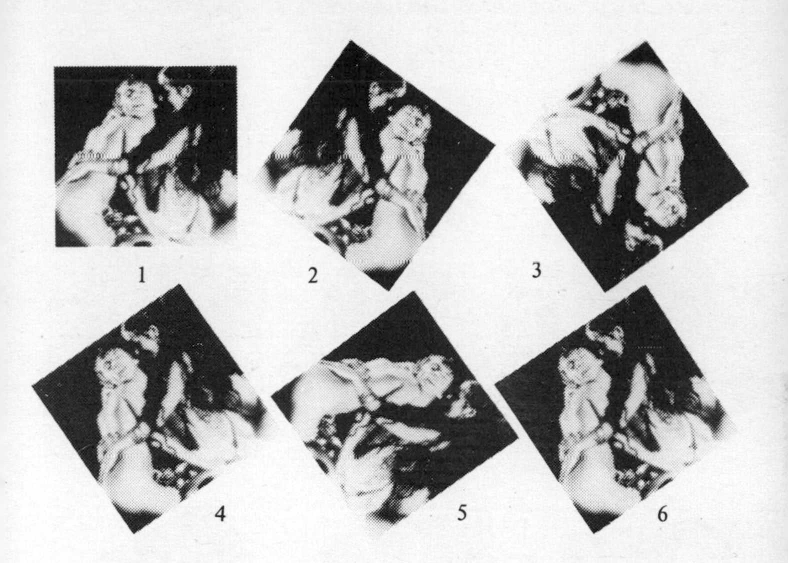

Les photos ci-dessus sont présentées dans tous les sens mais le sujet de la photo reste toujours le même. Une, pourtant n'est pas tout à fait la même, comme si elle avait pivoté de 180° autour de son propre axe vertical.

De quelle photo s'agit-il? 1 2 3 4 5 6

Sur cinq des photos, les bracelets de la jeune femme sont à son bras gauche: photos 1 3 4 5 6
Sur la photo 2, ils sont à son bras droit, parce que la photo a été inversée, comme si elle avait tourné de 180°. La bonne réponse à biffer d'une croix était donc 2.

Exercice 1

Deux des photos ont pivoté de 180°. Lesquelles ?

1 2 3 4 5 6 7 8 9

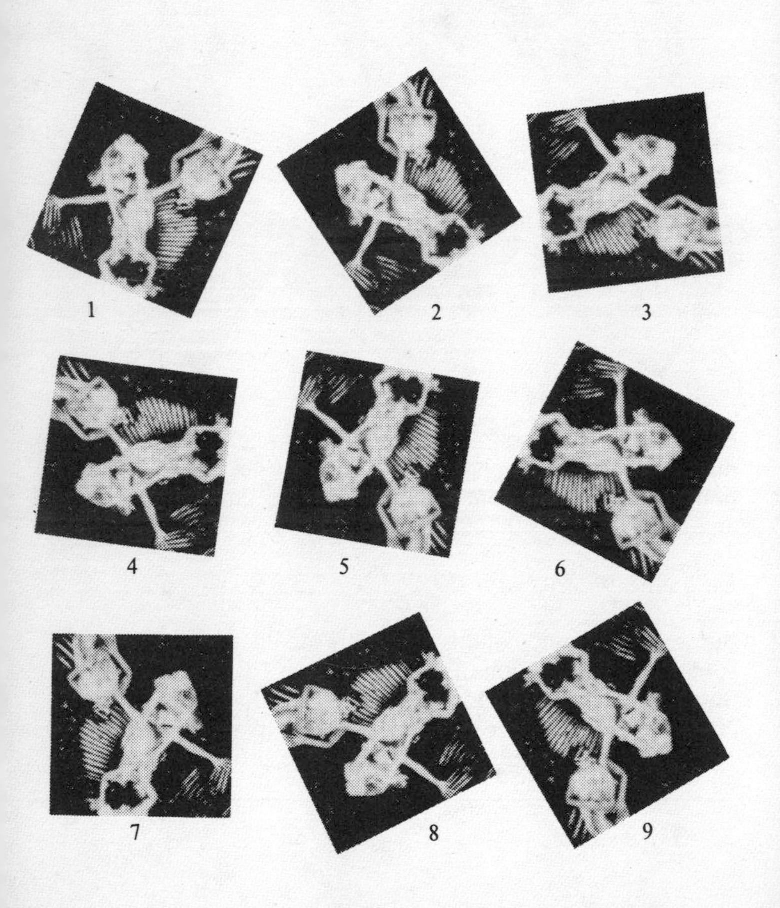

Exercice 2

Deux photos ont pivoté de 180°. Lesquelles?

1 2 3 4 5 6 7 8 9

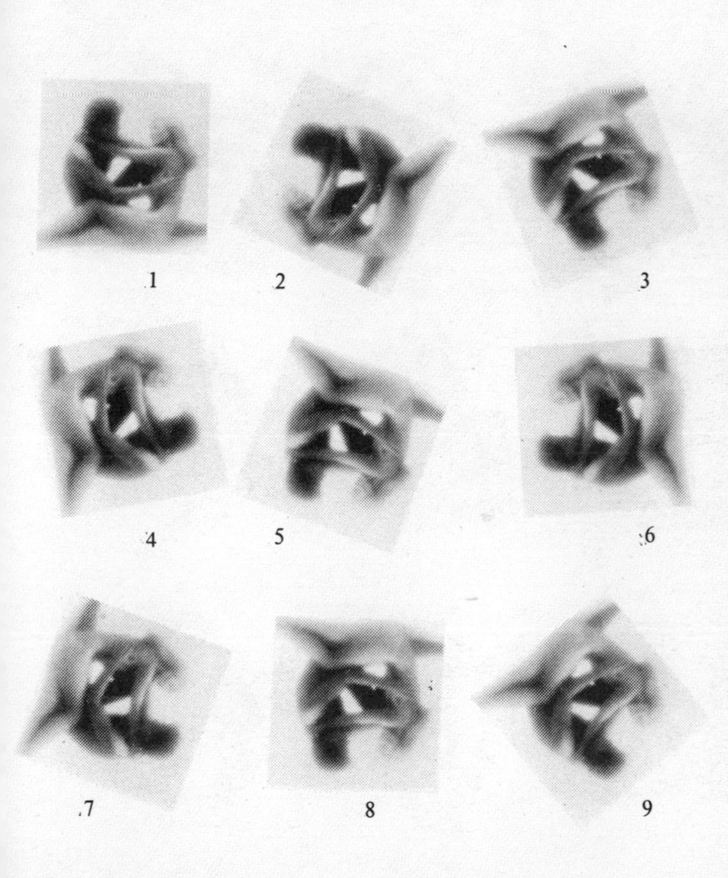

Exercice 3

Trois des photos ont pivoté de 180°. Lesquelles?

1 2 3 4 5 6 7 8 9

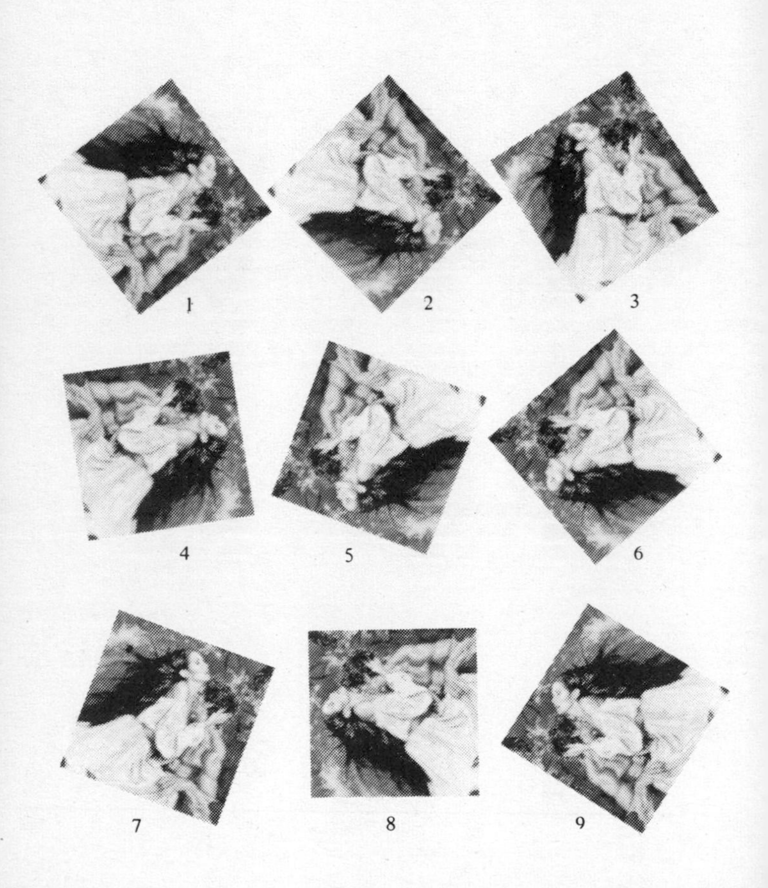

Exercice 4

Trois photos ont pivoté de 180°. Lesquelles?

1 2 3 4 5 6 7 8 9

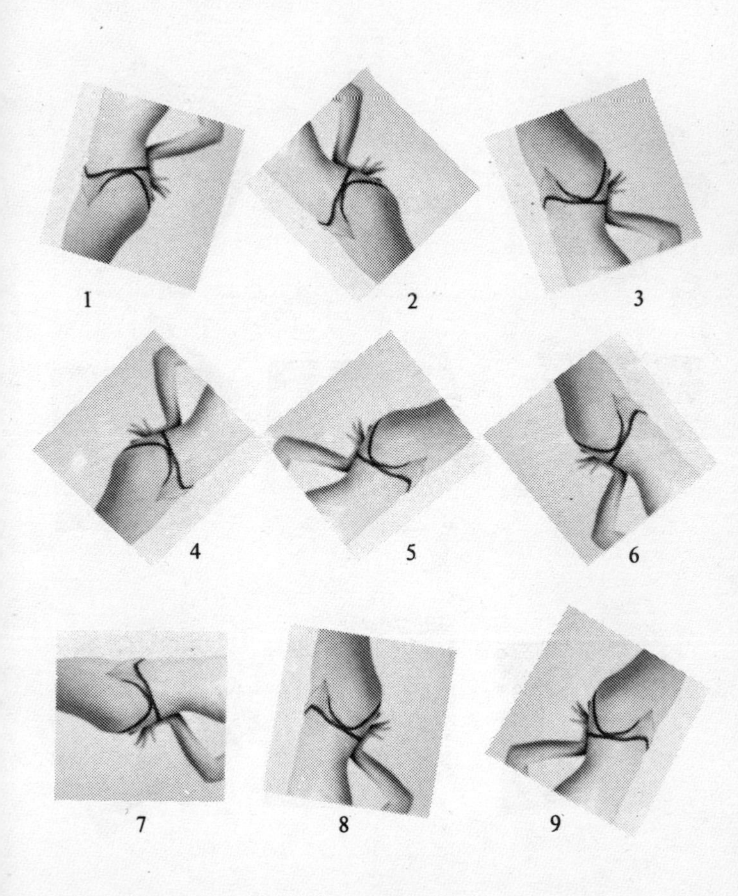

Exercice 5

Quatre des photos ont pivoté de 180°. Lesquelles?

1 2 3 4 5 6 7 8 9

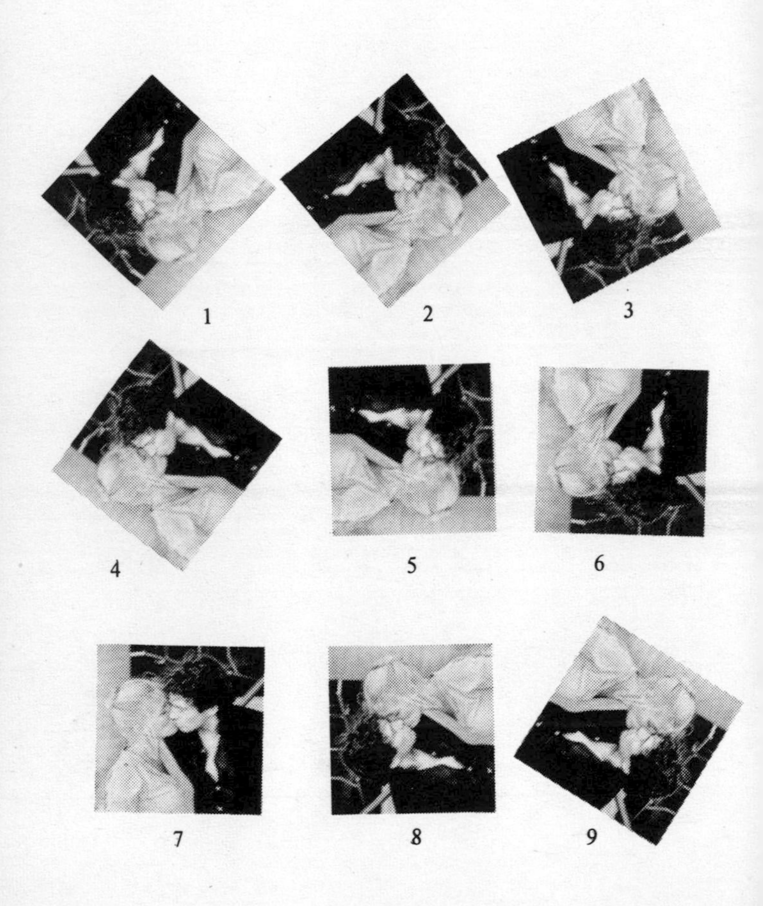

Exercice 6

Quatre photos ont pivoté de 180°. Lesquelles?

1 2 3 4 5 6 7 8 9

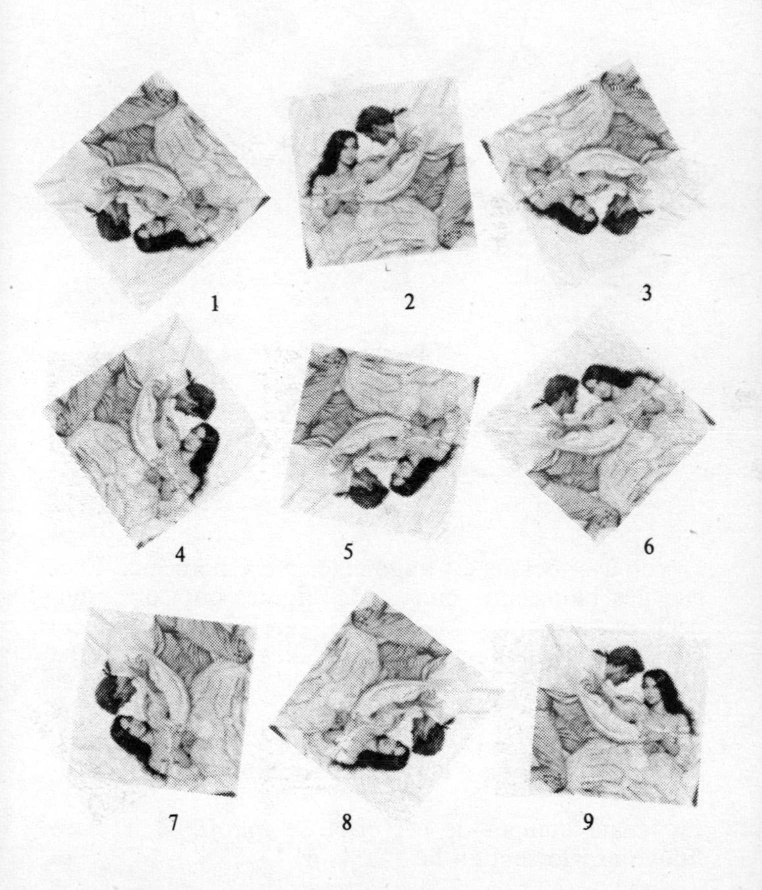

Leçon-test 13

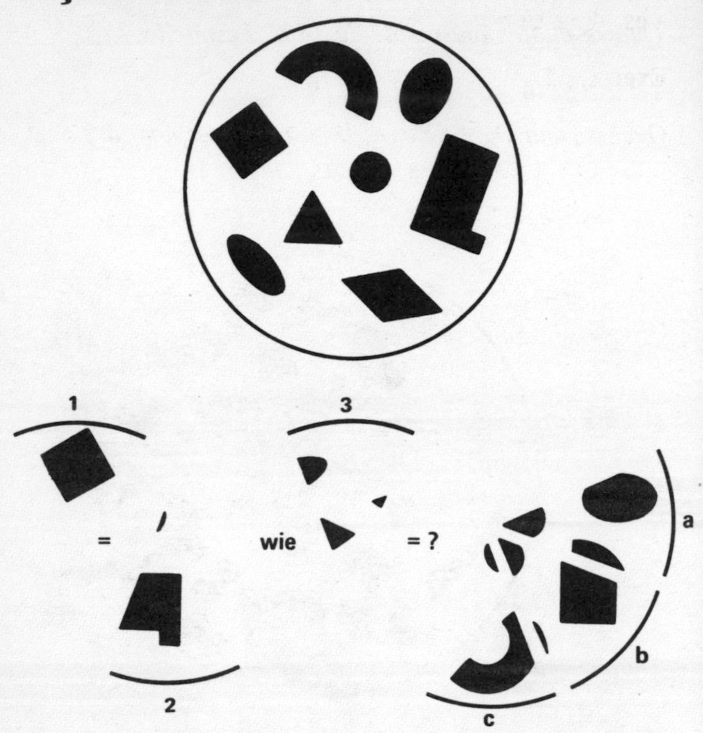

Le cercle ci-dessus est fragmenté en six morceaux. Chacun des morceaux contient des figures qui correspondent exactement à celles du cercle précédemment reconstitué, à la nuance près qu'elles ont subi un effet de miroir et qu'elles se reflètent donc de façon inverse.

Si la partie n° 2 est à rapprocher de la partie n° 1, laquelle de a, b ou c correspond à la partie n° 3 ?

En tenant compte de cet effet de miroir, la n° 2 se trouve exactement en face de la n° 1.

De la même façon, a est à rapprocher de 3 dans la mesure où ils se font face dans le cercle reconstitué.
a est donc la bonne solution.

Exercice 1

Quel secteur du cercle (a, b ou c) correspond à 3?

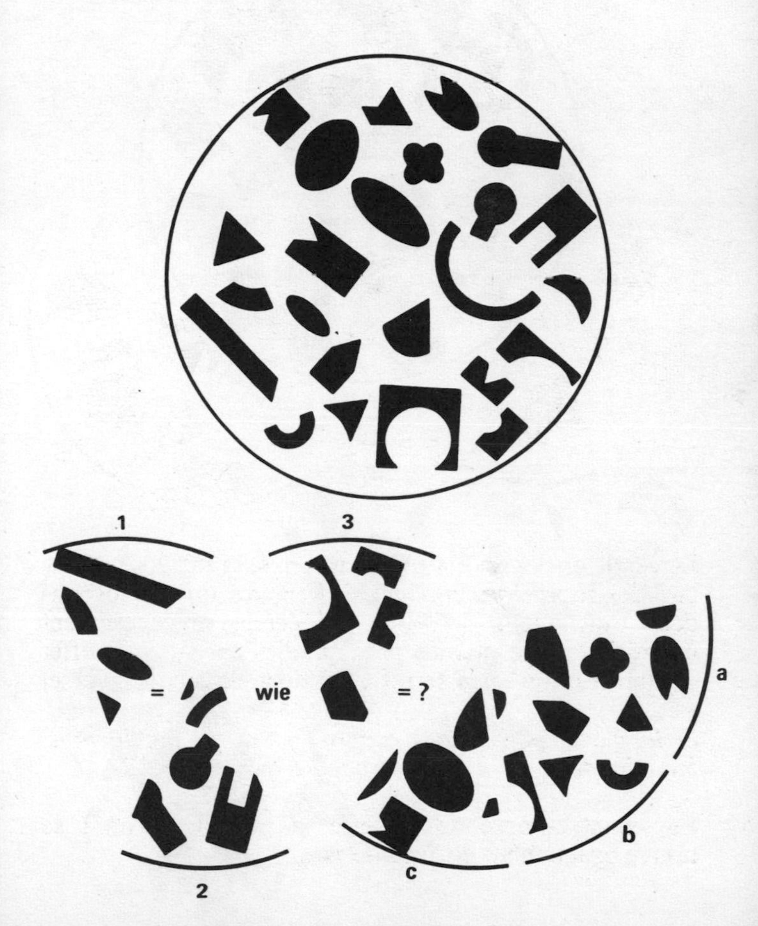

Exercice 2

Quel secteur du cercle (a, b ou c) correspond à 3 ?

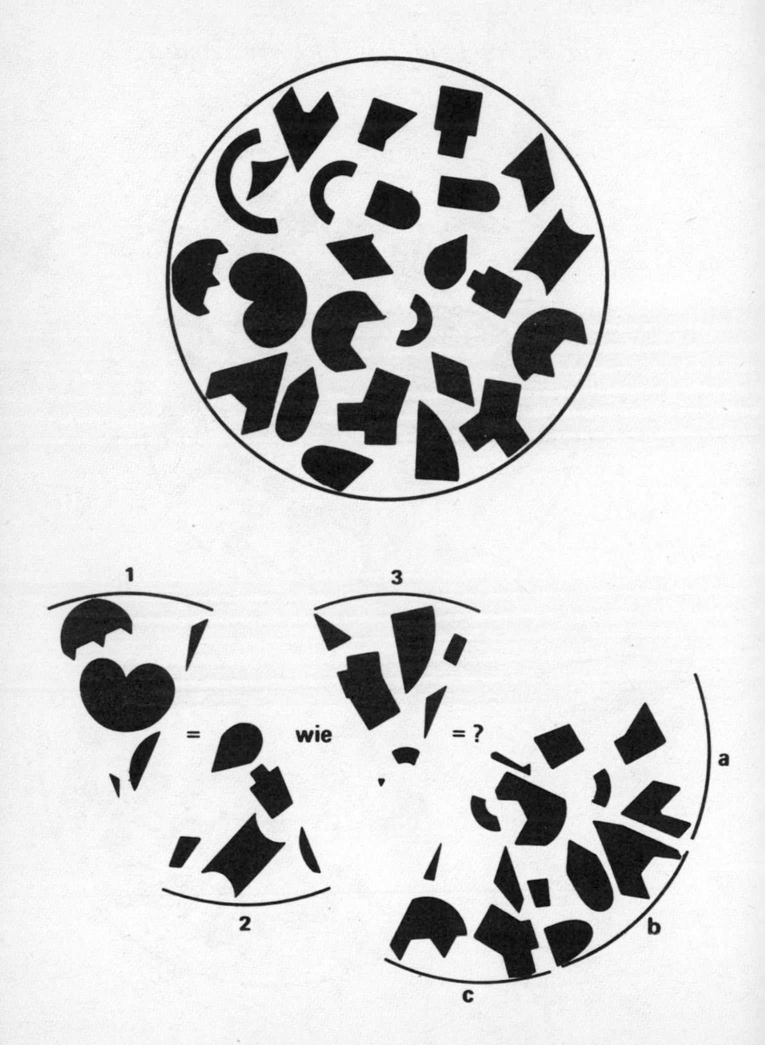

Exercice 3

Quel secteur du cercle (a, b ou c) correspond à 3?

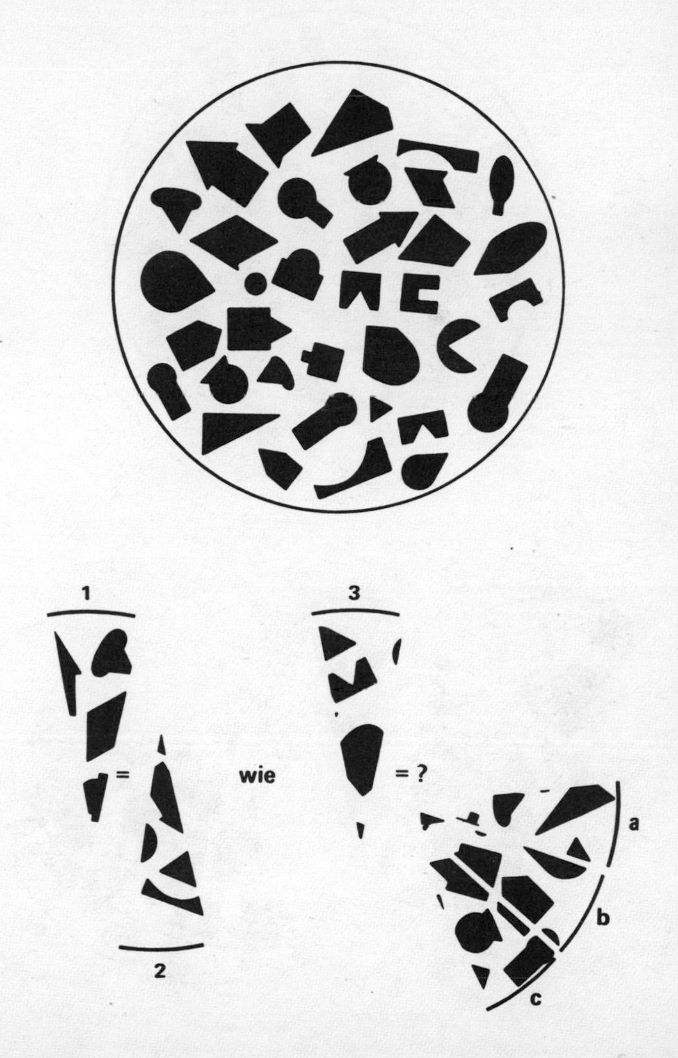

Exercice 4

Quel secteur du cercle (a, b ou c) correspond à 3?

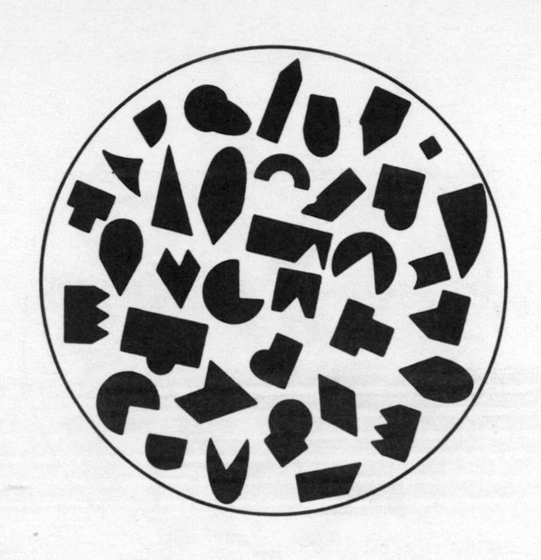

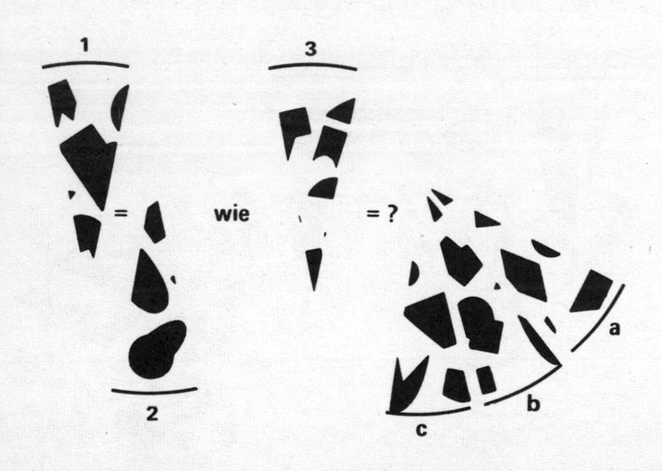

APTITUDE A COMPTER

Les leçons suivantes vous donnent l'occasion d'entraîner votre esprit :

- aux exercices de calcul ;
- à la maîtrise des chiffres ;
- à la reconnaissance d'un système numérique ;
- à travailler votre capacité de substitution ;
- et votre perception des chiffres.

Leçon-test 14

		16.416	**a**		
		16.476	**b**		
67.475	**+**	**16.376**	**c**	**=**	**83.851**
		16.396	**d**		
		16.296	**e**		

Si l'on additionne l'un des cinq nombres proposés ci-dessus et 67.475, on obtient un total de 83.851.

Laquelle des propositions de a) à e) faut-il choisir pour obtenir un total de 83.851?

67.475 + 16.376 égal 83.851. La bonne solution est donc la solution C: 16.376.

Bien entendu, ces exercices de calcul sont à faire de tête. Aucune aide n'est autorisée!

Exercices 1 - 22

Lequel des cinq nombres proposés faut-il ajouter?

1.

		308.598	**a**		
		307.598	**b**		
193.473	**+**	**307.798**	**c**	**=**	**501.071**
		307.698	**d**		
		308.498	**e**		

2.

		535.458 a		
		535.558 b		
370.747	+	534.358 c	=	906.205
		536.458 d		
		536.358 e		

3.

		4.573.582 a		
		4.563.782 b		
3.275.674	+	4.556.482 c	=	7.832.156
		4.557.382 d		
		4.555.382 e		

4.

		2.983.578 a		
		2.994.478 b		
2.905.773	+	2.993.478 c	=	5.899.251
		2.985.778 d		
		2.995.578 e		

5.

		48.705 a		
		48.695 b		
87.901	-	48.715 c	=	39.196
		48.685 d		
		48.675 e		

6.

		36.527	a		
		35.937	b		
63.473	-	35.627	c	=	27.846
		36.637	d		
		35.527	e		

7.

		358.645	a		
		357.645	b		
546.131	-	359.845	c	=	186.486
		358.845	d		
		359.645	e		

8.

		438.941	a		
		438.841	b		
731.039	-	437.641	c	=	291.198
		439.641	d		
		439.841	e		

9.

		1.088.535	a		
		1.087.735	b		
3.977.133	-	1.099.735	c	=	2.877.398
		1.098.335	d		
		1.089.735	e		

10.

4.551.761	-	2.754.771 a 2.755.571 b 2.764.571 c 2.766.771 d 2.763.571 e	=	1.788.190

11.

137	×	113 a 93 b 83 c 73 d 103 e	=	12.741

12.

513	×	47 a 37 b 57 c 77 d 67 e	=	29.241

13.

173	×	179 a 169 b 149 c 189 d 159 e	=	29.237

14.

		397	a		
		377	b		
231	×	367	c	=	87.087
		357	d		
		387	e		

15.

		1.407	a		
		1.297	b		
4.036	×	1.577	c	=	5.678.652
		1.387	d		
		1.667	e		

16.

		2.129	a		
		2.239	b		
3.717	×	2.899	c	=	7.504.623
		2.019	d		
		2.909	e		

17.

		64	a		
		84	b		
14.356	:	74	c	=	194
		54	d		
		94	e		

18.

31.293	:	37 a 67 b 47 c 57 d 77 e	=	549

19.

43.344	:	594 a 524 b 584 c 504 d 514 e	=	86

20.

71.568	:	203 a 223 b 233 c 243 d 213 e	=	336

21.

111.330	:	2.384 a 2.294 b 2.654 c 2.474 d 2.564 e	=	45

22.

356.694	:	4.483 a 4.753 b 4.393 c 4.573 d 4.663 e	=	78

Leçon-test 15

Trois fauteuils coûtent 10.000 F, combien coûte une douzaine et demie de fauteuils?

a) 30.000
b) 40.000
c) 50.000
d) 60.000
e) 70.000

Une douzaine et demie de fauteuils équivaut à 18 fauteuils. C'est-à-dire exactement six fois trois fauteuils. Trois fauteuils coûtent 10.000 F, dix-huit fauteuils sont six fois plus chers; ils reviennent alors à 60.000 F.

Dans l'exemple ci-dessus, le bon prix est 60.000 F. C'est la bonne réponse à cocher.

Exercice 1
Dans une grande clinique, une infirmière s'occupe de quatre malades. En gardant le même rapport de un pour quatre, combien d'infirmières sont nécessaires à un effectif de 500 patients?

a) 75 b) 100 c) 125 d) 150 e) 175

Exercice 2
Frank et Marianne disputent leur 24e partie de baby-foot. Les équipes ont fait douze fois match nul et l'équipe de Marianne a gagné le tiers des autres parties. Combien de parties a remporté l'équipe de Frank?

a) 3 b) 4 c) 5 d) 6 e) 8

Exercice 3

Fabrice économise pour ses études. Son père l'y encourage. Chaque fois que Fabrice dépose de l'argent à la banque, son père lui verse le double. Fabrice a déjà 7.200 F sur son compte. Combien Fabrice a-t-il économisé seul?

a) 2.400 b) 3.000 c) 3.600 d) 4.800 e) 6.000

Exercice 4

Une roulette parcourt en 12 tours de roue une distance de 0,75 m. Quelle est la distance parcourue en 56 tours?

a) 2,5 b) 3,25 c) 3,5 d) 4,5 e) 4,75

Exercice 5

La maison de mode CHIC vend, lors de soldes d'été, une veste en fourrure à un prix de 1.200 F. Ce prix correspond à 80 % du prix normal. Combien coûte cette veste en fourrure en sachant que le prix de vente inclut une marge de 10 % pour le commerçant?

a) 1.440 b) 1.650 c) 1.800 d) 1.890 e) 2.040

Exercice 6

Lors d'une affaire fructueuse, un fruitier a payé pour une cargaison de fruits 165 F de moins qu'il ne l'avait escompté. Les fruits lui sont revenus à 285 F, soit moins que deux tiers de son prix initial. Quel est le prix que ce marchand de fruits avait initialement calculé?

a) 576 b) 585 c) 675 d) 936 e) 1.035

Exercice 7

Marlène et Didier sont en vacances. Ils descendent du taxi et ont encore 140 m à faire avant d'arriver au train. Lourdement chargé, Didier se met en route tandis que Marlène règle le taxi. Didier a déjà fait 15 m quand Marlène le rattrape. Malgré l'avance de Didier, Marlène est déjà arrivée au train alors qu'il reste encore à Didier 20 m à faire.

Quelle est la distance (en mètres) parcourue en plus par Marlène quand Didier fait 3 mètres?

a) 1 b) 2 c) 3 d) 4 e) 5

Exercice 8

Un bulldozer aurait besoin de sept heures pour aplanir un terrain. Comme le travail doit être effectué plus rapidement, on utilise un second bulldozer.

Combien d'heures faut-il à ces deux engins pour effectuer le travail en sachant que le second bulldozer, s'il travaillait seul, aurait besoin de 9 heures 1/3?

a) 3 b) 4 c) 5 d) 6 e) 7

Exercice 9

Une route à quatre voies de 20 m de large doit être partagée de manière à obtenir d'un côté une route à deux voies et de l'autre, deux voies et une piste cyclable.

En considérant que les quatre voies sont de même largeur et que le côté sans piste cyclable doit avoir une largeur égale pour les deux tiers à celle du côté avec piste cyclable, que reste-t-il comme espace disponible pour la piste cyclable?

a) 3 1/2 b) 4 c) 4 1/2 d) 5 e) 5 1/2

Exercice 10
Un commerçant fait ses comptes de fin de semaine. Il a vendu 20 chemises à 200 F, 50 costumes à 3.000 F et 10 manteaux à 4.000 F. Pour quel montant ce commerçant a-t-il vendu en moyenne à chaque client en partant du principe que chaque client a acheté un article?

a) 2.000 b) 2.425 c) 2.870 d) 3.125 e) 3.300

Leçon-test 16

5 7 9 11 13 15 17 ?

La suite de nombres ci-dessus évolue selon un certain accroissement. Tout en respectant cet accroissement, remplacez le point d'interrogation par le nombre adéquat.

Quel est celui qui doit succéder à 17?

La différence entre les nombres croissants est toujours de deux; 5 + 2 = 7, 7 + 2 = 9, etc. 17 + 2 = 19.
19 est donc la bonne réponse.

Exercices 1 - 20

Dans les exemples qui suivent, remplacez le point d'interrogation par le nombre adéquat en prenant garde de toujours respecter la logique numérique déjà appliquée.

1 12 13 15 18 22 27 33 ?

2 4 11 17 22 26 29 31 ?

3 67 64 59 52 43 32 19 ?

4 33 30 28 25 23 20 18 ?

5 1 1 3 6 24 72 360 ?

6 3 6 18 54 108 216 648 ?

7	224 112 112 56 56 28 28 ?
8	3456 1728 432 144 72 18 6 ?
9	13 14 12 15 10 18 5 ?
10	18 13 8 18 38 33 28 ?
11	2 5 10 14 28 33 66 ?
12	1 5 5 9 13 26 30 ?
13	1211 1195 239 224 56 42 14 ?
14	375 375 374 374 363 33 22 ?
15	12 84 14 112 32 288 198 ?
16	16 8 32 28 18 90 85 ?
17	324 54 63 21 27 3 6 7 ?
18	1221 2442 2442 7326 666 2664 24 ?
19	7 8 8 4 0 2 4 ?
20	1,5 6 2 23 16 80 20 ?

Leçon-test 17

Le cercle ci-dessus est subdivisé en différentes parties dans lesquelles figure un nombre. Les nombres sont placés selon un ordre et une logique bien définis. En observant cette même logique, on peut trouver le nombre manquant.

Par quel nombre faut-il remplacer le point d'interrogation ?

10 13 14 15 16

Les nombres sont placés dans ce cercle en ordre croissant (+ un à chaque fois) et selon le sens des aiguilles d'une montre. La suite logique de 9 est donc 10.
10 remplace le point d'interrogation.

Exercices 1 - 10

Dans les exemples suivants, remplacez le point d'interrogation par un des nombres proposés.

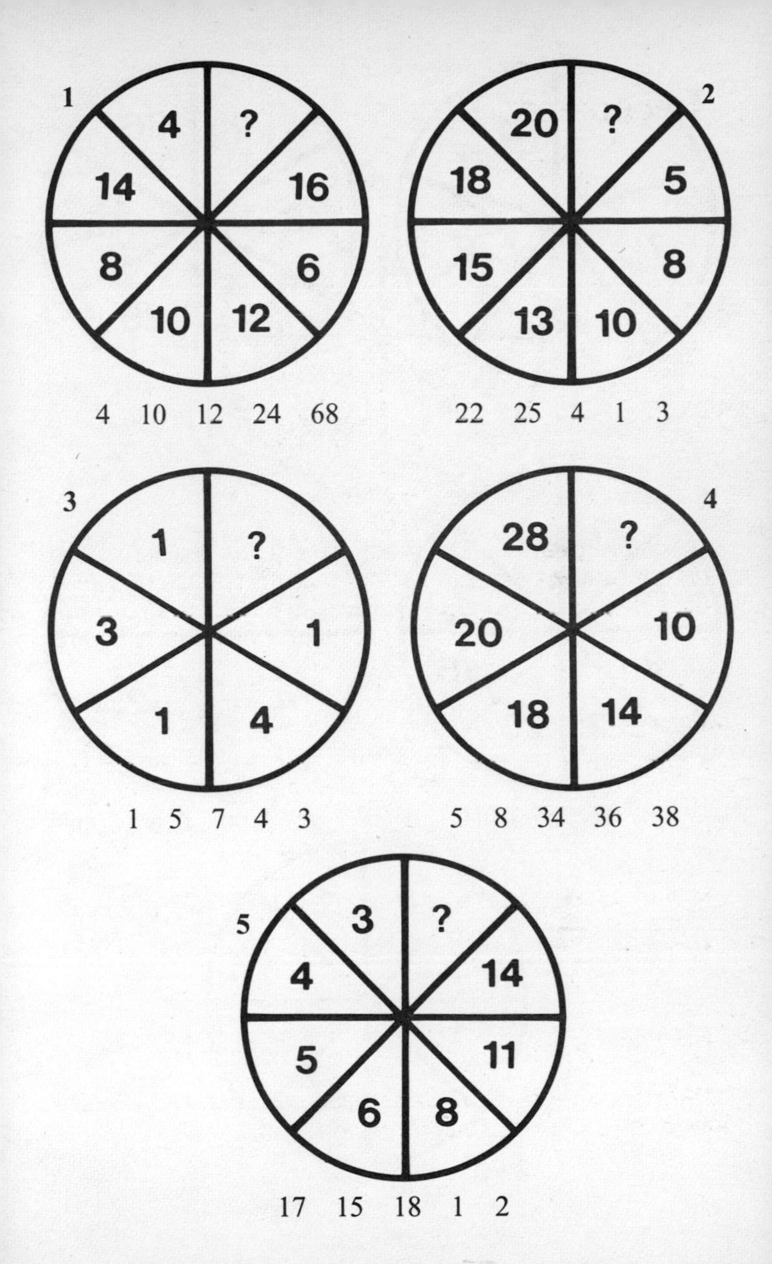
1
4
?
16
6
12
10
8
14
4 10 12 24 68
2
20
?
5
8
10
13
15
18
22 25 4 1 3
3
1
?
1
4
1
3
1 5 7 4 3
4
28
?
10
14
18
20
5 8 34 36 38
5
3
?
14
11
8
6
5
4
17 15 18 1 2

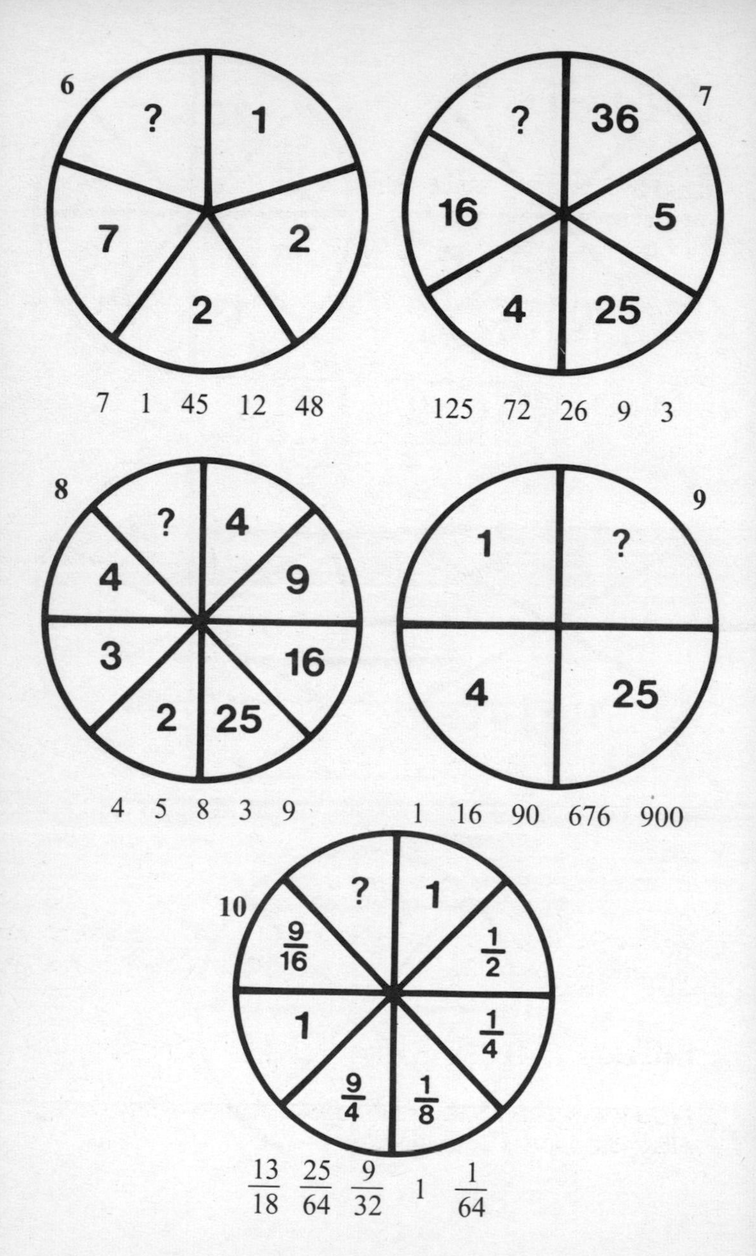
6
?
1
2
2
7
7 1 45 12 48
7
?
36
5
25
4
16
125 72 26 9 3
8
?
4
9
16
25
2
3
4
4 5 8 3 9
9
1
?
25
4
1 16 90 676 900
10
?
1
1/2
1/4
1/8
9/4
1
9/16
13/18 25/64 9/32 1 1/64

Leçon-test 18

Les chiffres sont placés dans ce carré quadrillé selon une certaine règle. On peut retrouver cette règle à partir des quelques chiffres qui nous sont donnés.

Parmi les quatre nombres proposés, lequel peut remplacer le point d'interrogation?

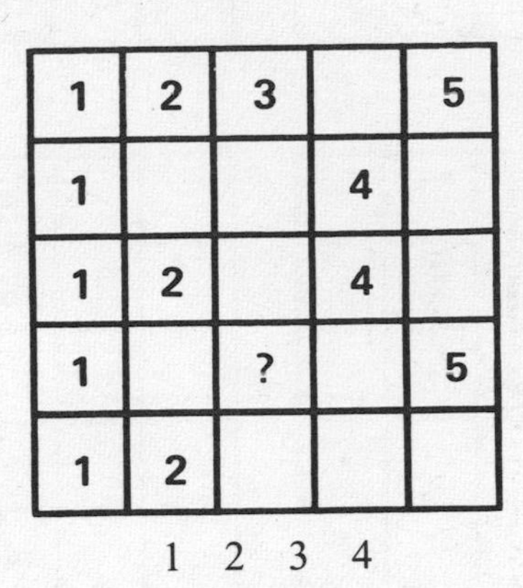

1	2	3		5
1			4	
1	2		4	
1		?		5
1	2			

1 2 3 4

Si on observe les colonnes et les lignes de ce carré, on constate que la première colonne ne contient que des 1, la seconde des 2, la troisième des 3, etc.

Compte tenu que le point d'interrogation se trouve dans la troisième colonne, la bonne réponse est le nombre 3.

Exercices 1 - 10

Lequel des quatre chiffres proposé doit-on choisir à la place du point d'interrogation?

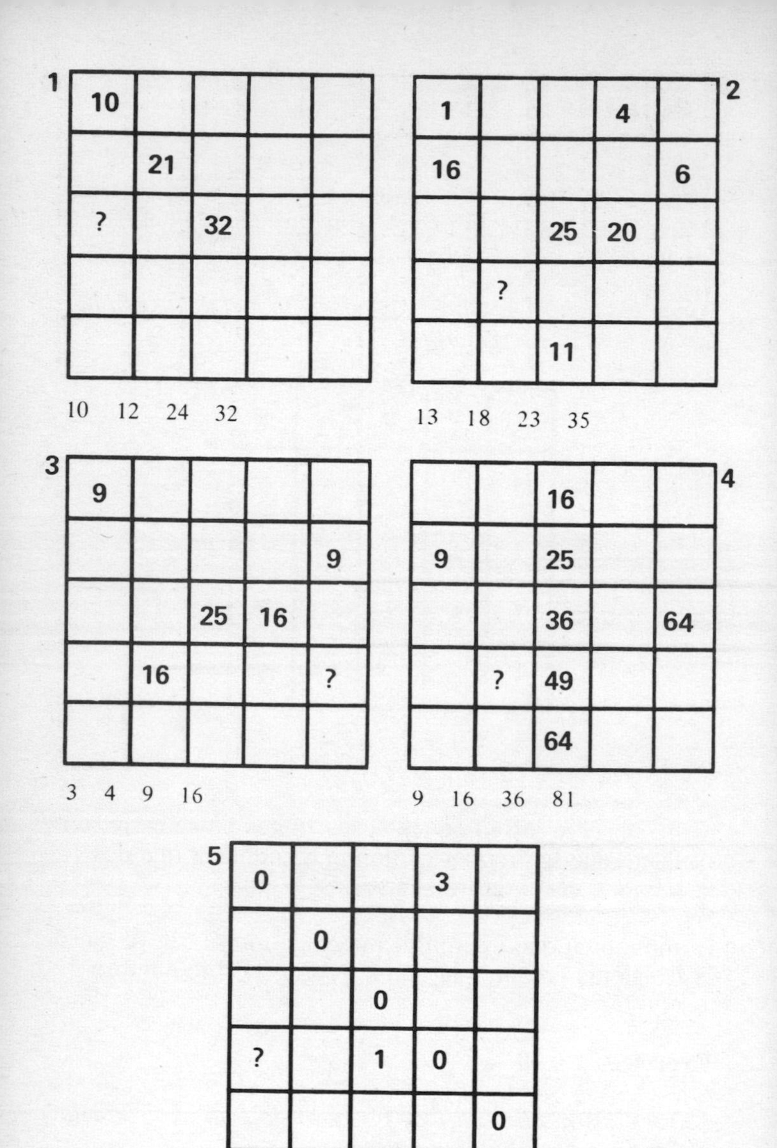
1
10
21
?
32
10 12 24 32
2
1
4
16
6
25
20
?
11
13 18 23 35
3
9
9
25
16
16
?
3 4 9 16
4
16
9
25
36
64
?
49
64
9 16 36 81
5
0
3
0
0
?
1
0
0

6 5 4 3

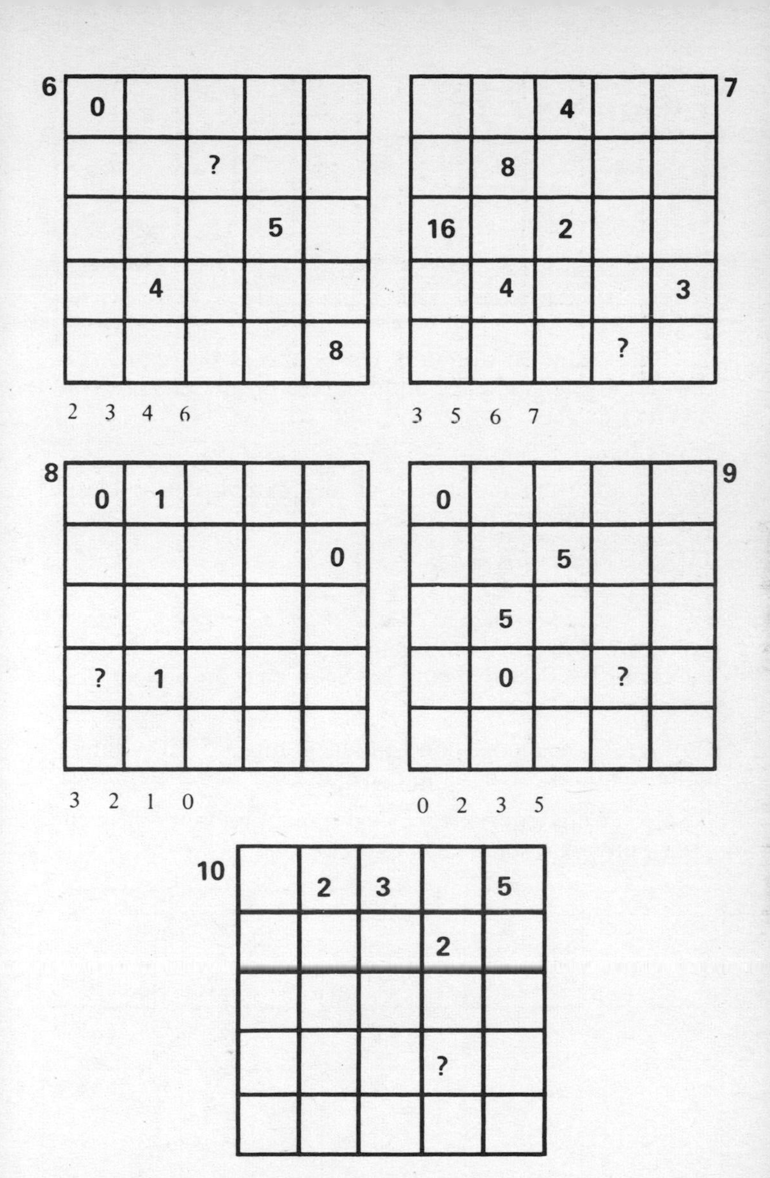

4 3 2 1

Leçon-test 19

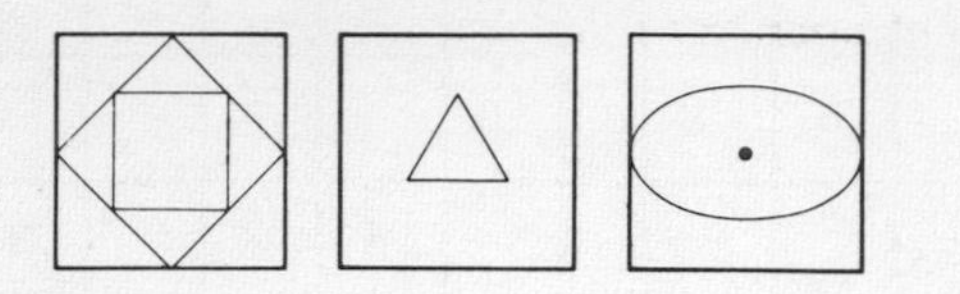

6

Si l'on traduit en nombres les symboles des carrés ci-dessus pour ensuite les additionner, on obtient invariablement 6.

Une erreur s'est toutefois glissée dans cette équation: un symbole manque dans l'un des carrés pour pouvoir obtenir le nombre 6 en question.

De quel carré s'agit-il?

Carré 2

La figure du carré 1 équivaut aux nombres 2 et 4, celle du carré 3 à 0 et 6. Dans les deux cas, on obtient une somme égale à six.

Le carré 2 ne correspond qu'au nombre 5; il manque donc le nombre 1 dans le carré 2.

Se référer aux équivalences symbole/nombre ci-dessous pour pouvoir résoudre les exercices.

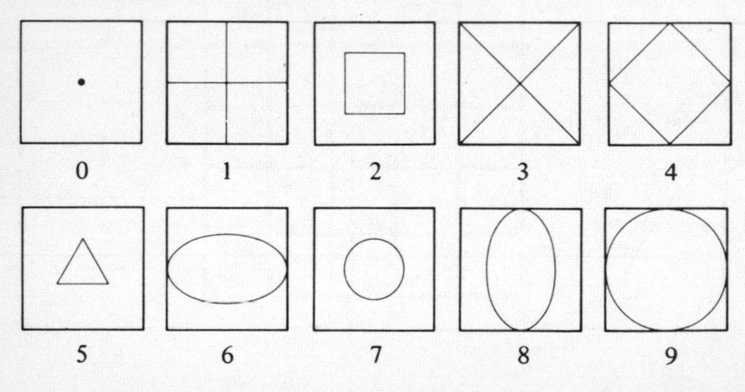

Pour les exercices suivants, imprégnez-vous durant 30 secondes des symboles et de leur signification pour vous éviter de vous reporter aux équivalences «symbole/nombre» et pour travailler de mémoire.

Exercices 1 - 32

Lequel des carrés suivants est faux?

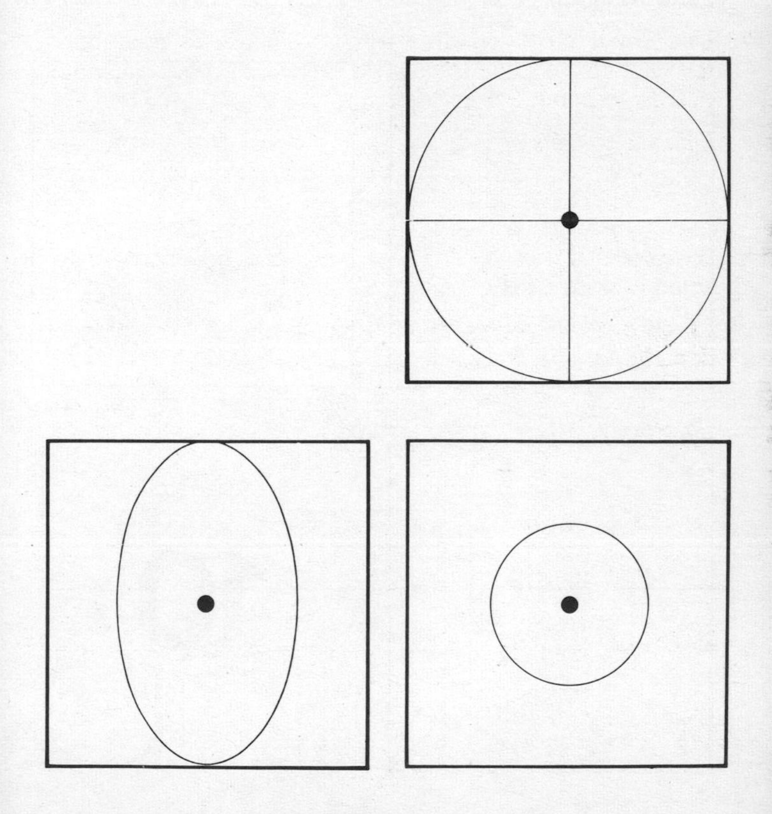

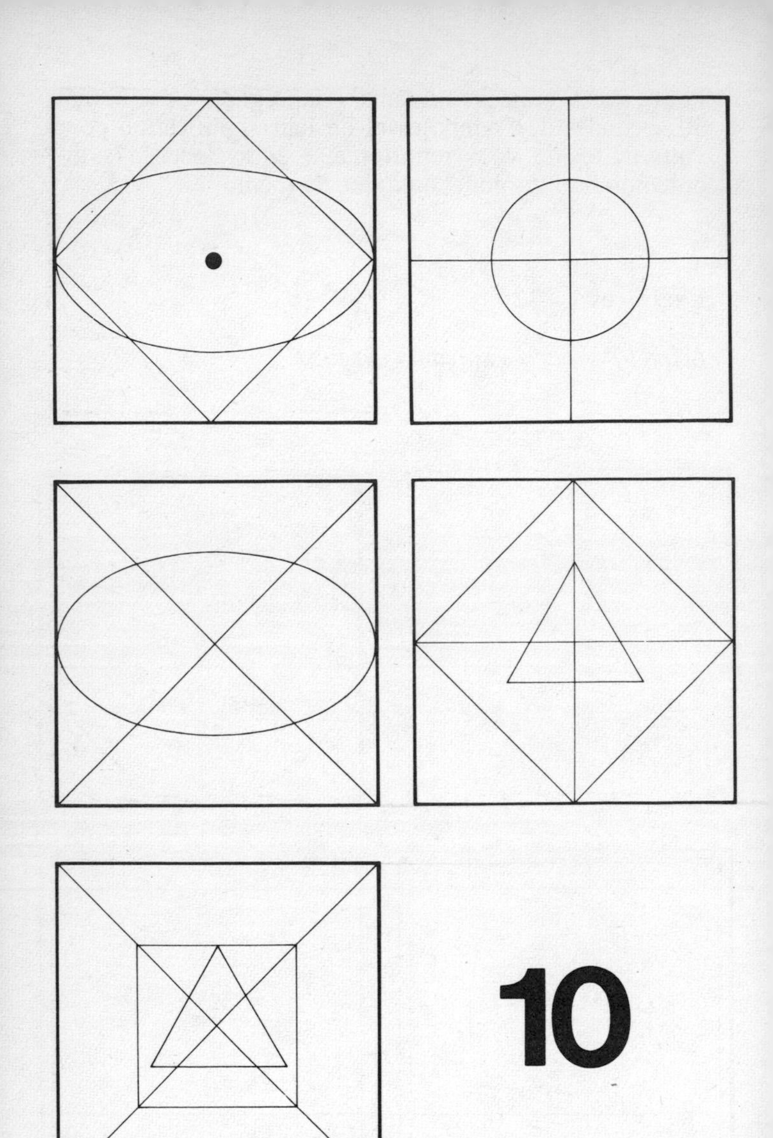
10

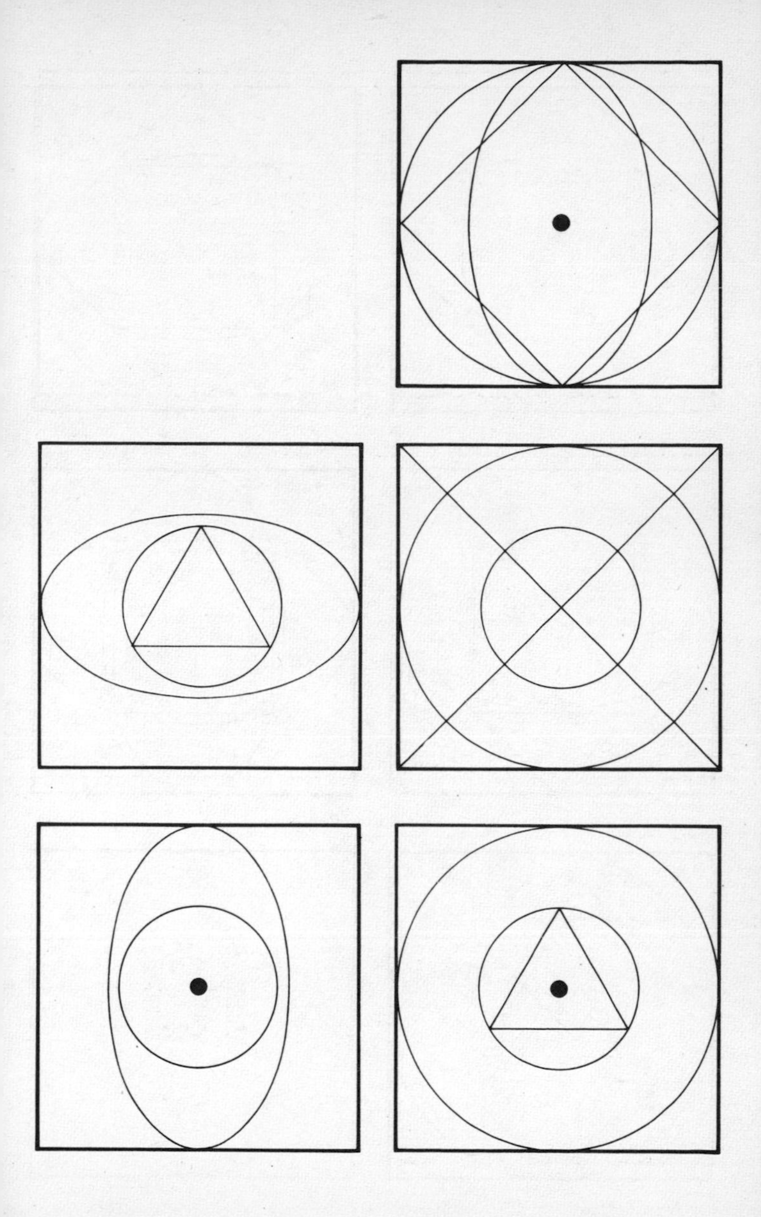

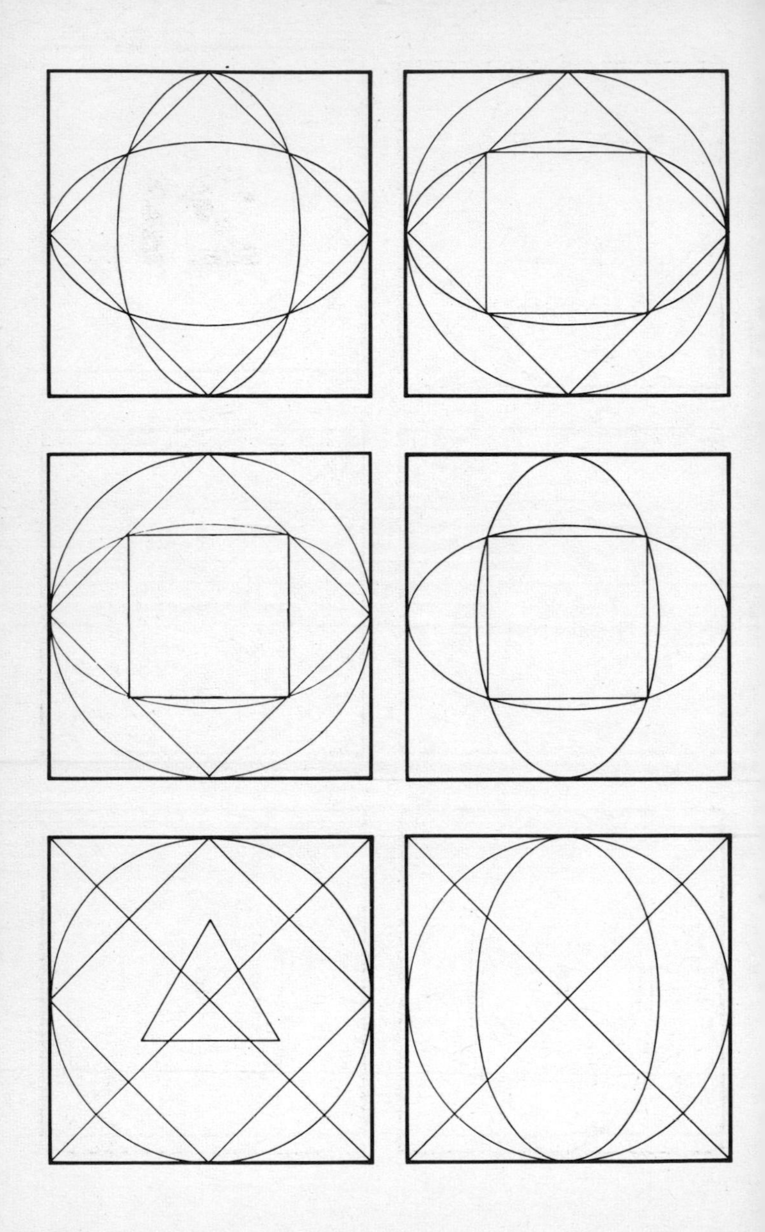

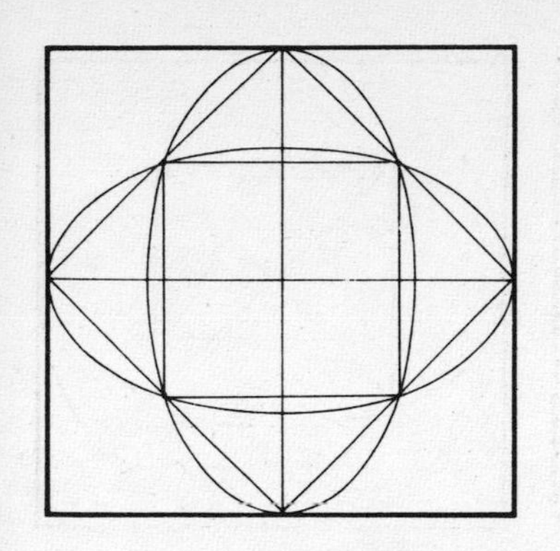

21

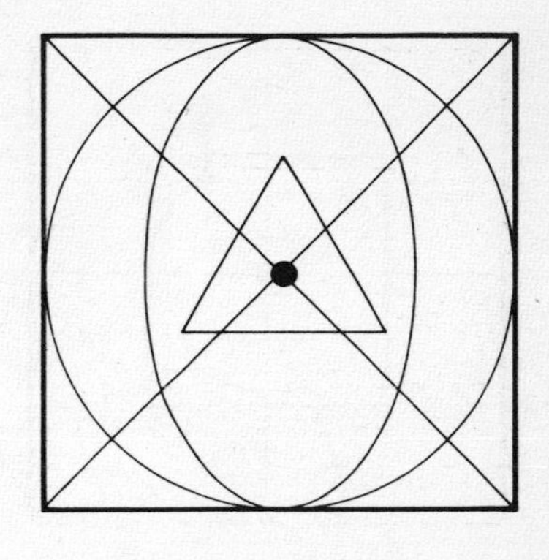

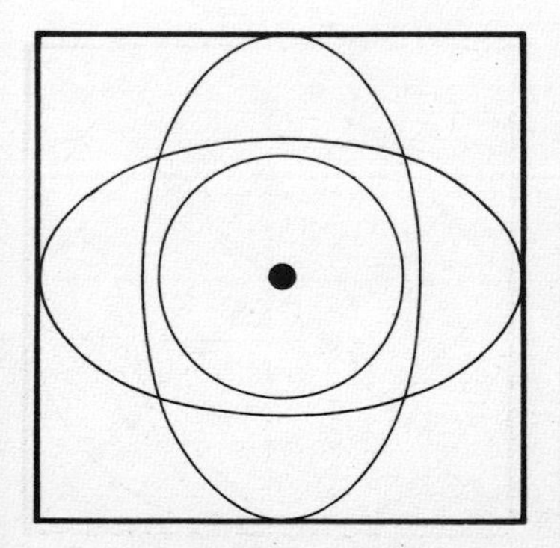

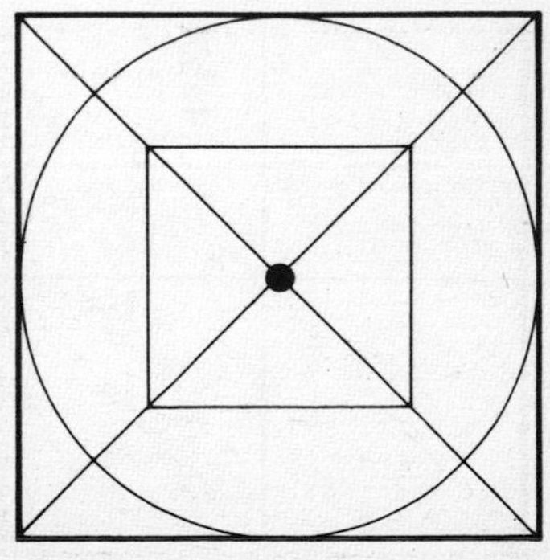

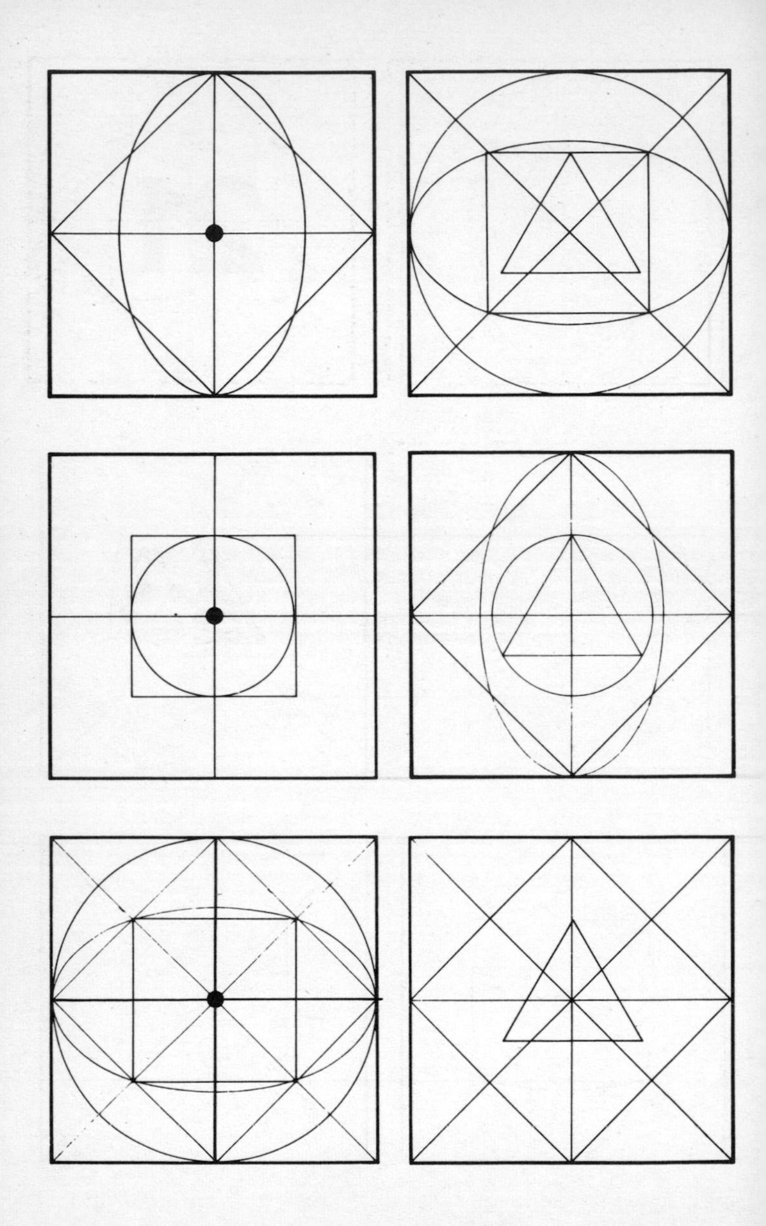

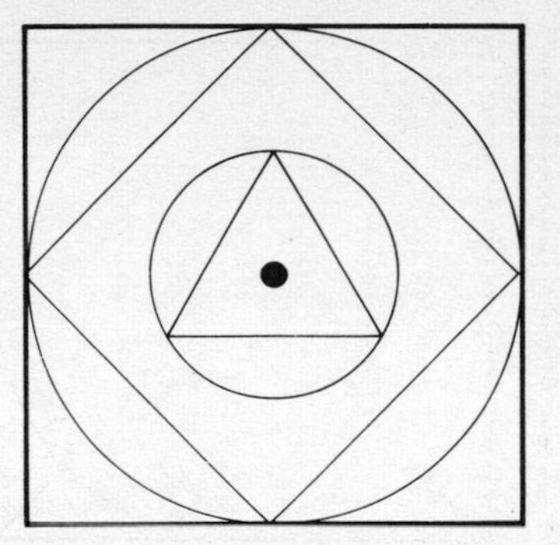

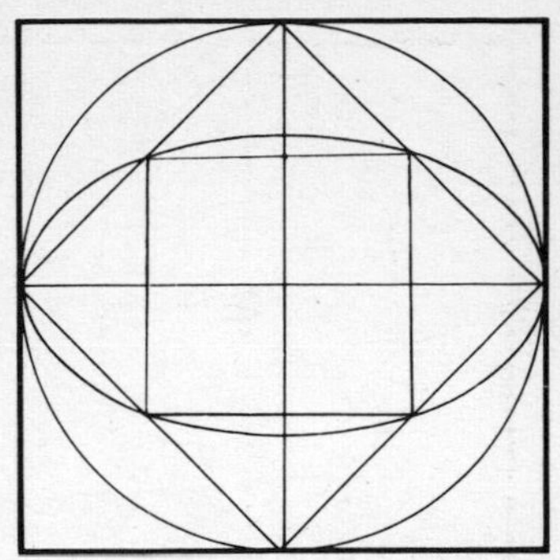

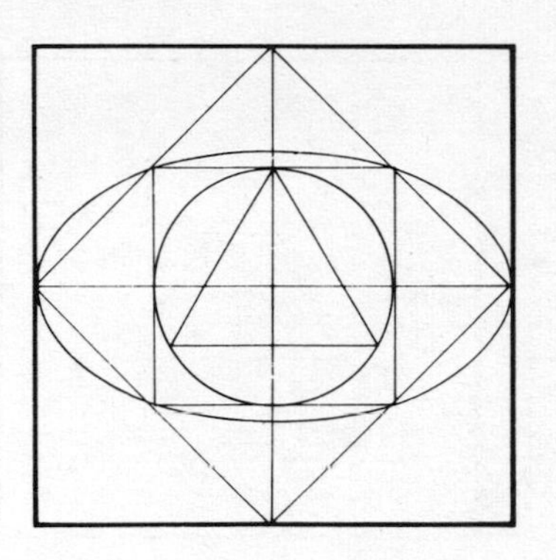

25

CAPACITÉ DE RÉFLEXION

Les exemples qui suivent vous donnent l'occasion de faire fonctionner certaines de vos capacités:

- Objectivité
- Autonomie de pensée
- Sens de la réalité
- Logique
- Esprit d'analyse
- Jugement

Leçon-test 20

Ces cinq photos reconstituent le déroulement d'un événement. Mais telles qu'elles nous sont présentées, elles sont dans le désordre et ne respectent pas l'évolution de l'action.

À vous de les mettre dans le bon ordre de façon à ce qu'elles reconstituent les différentes étapes de l'action photographiée.

Dans l'exemple cité, le chien s'éloigne manifestement de plus en plus de la balle. On peut donc reconstituer les différentes étapes de cette action en prenant comme point de repère la distance toujours grandissante entre le chien et la balle.

Les photos se présentent donc comme suit:
b d c a e

Exercices 1 - 10

Dans quel ordre les photos doivent-elles être présentées?

1
2
a
b
c
d
e

3

4

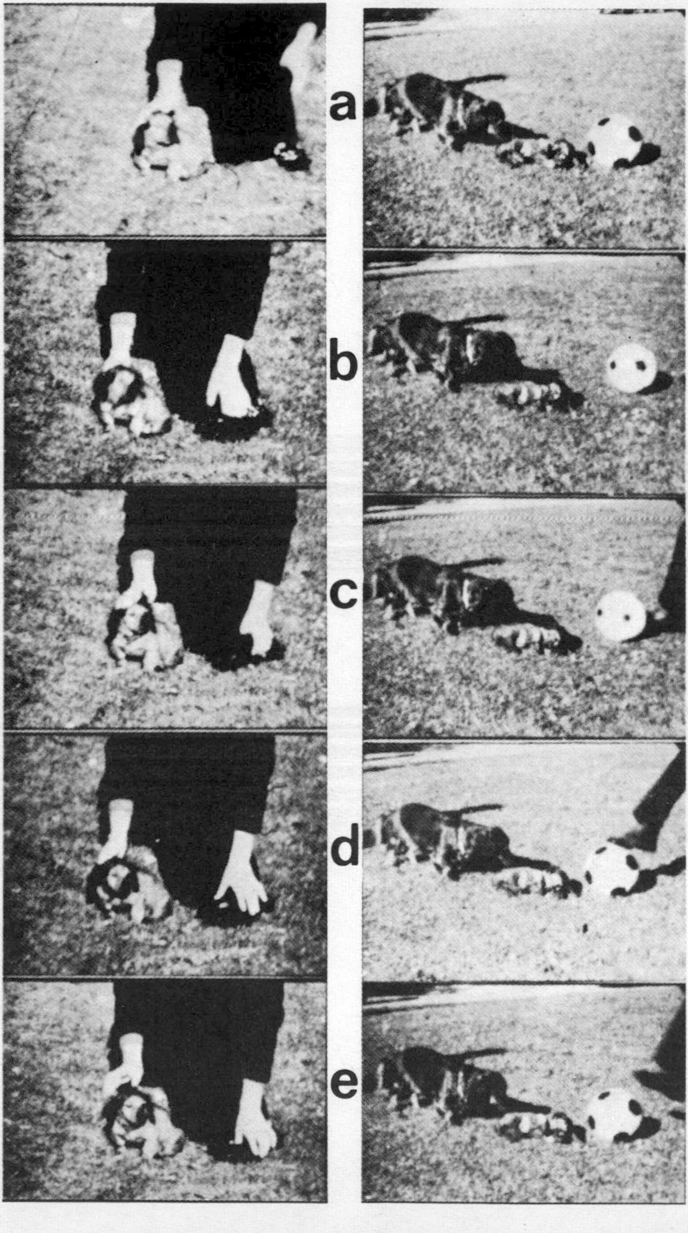

a

b

c

d

e

5

6

a

b

c

d

e

7

8

a

b

c

d

e

Leçon-test 21

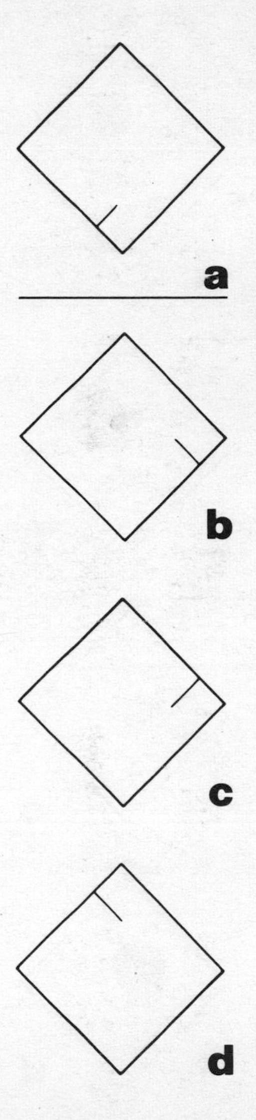

Les figures a, b, c, d changent les unes par rapport aux autres selon certains critères. Elles se ressemblent plus ou moins selon la nature et le nombre de ces critères.

a, b, c, d s'ordonnent de façon logique selon leur degré de ressemblance. Le point de départ est toujours a!

Quelle figure succède immédiatement à a? b, c ou d?

On peut partir, dans le cas cité en exemple, de la direction et de l'emplacement des traits.

Quelle figure succède immédiatement à c? b ou d?

Le trait de c a la même direction quoique à un endroit différent. Les traits de b et d n'ont ni la même direction, ni le même emplacement. Le trait de c est le plus semblable à celui de a; il le suit donc logiquement.

Les traits de b et d ont une autre direction que celui de c. Le trait de b, par contre, est tracé dans le même coin que celui de c. C'est pourquoi b est plus semblable à c que d et le suit logiquement.

Le bon enchaînement est donc le suivant: *a c b d*!

Exercices 1 - 12

Quelle est la suite logique de ces figures?

1

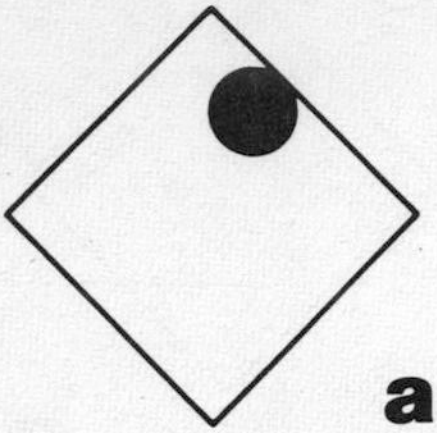

a

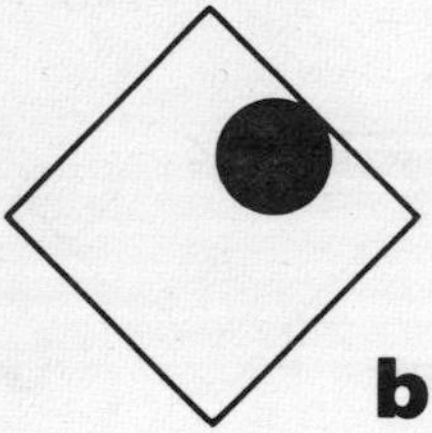

b

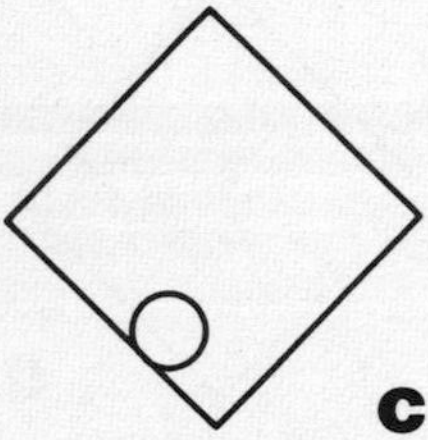

c

d

2

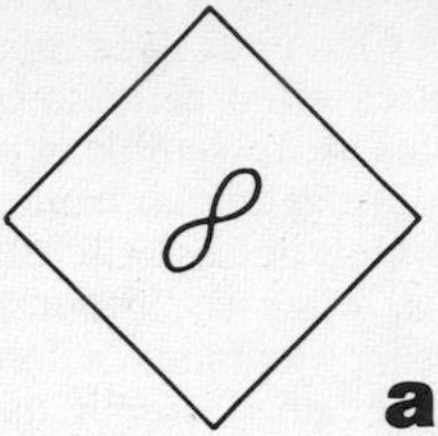

a

b

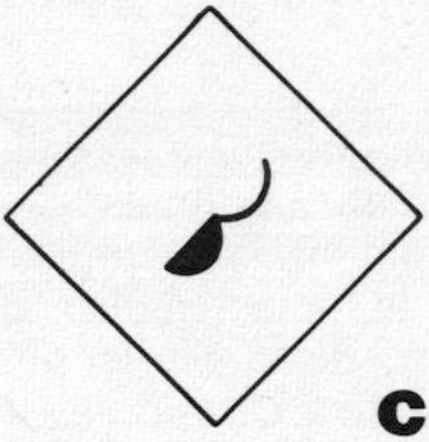

c

d

3

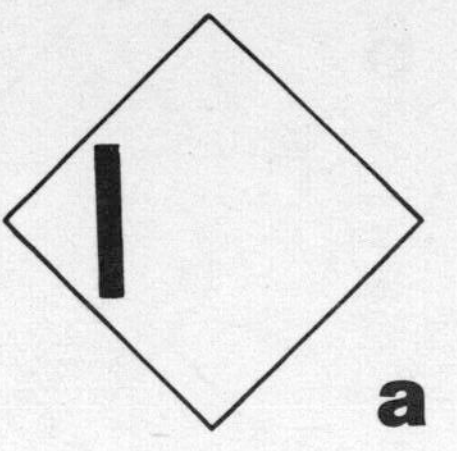

a

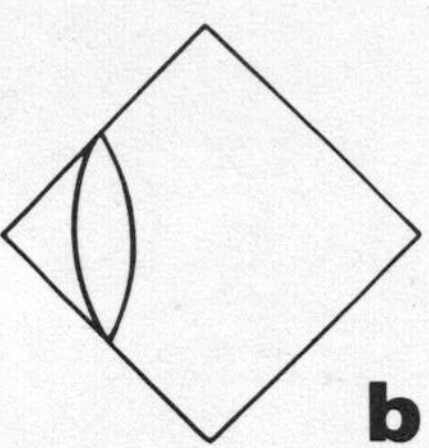

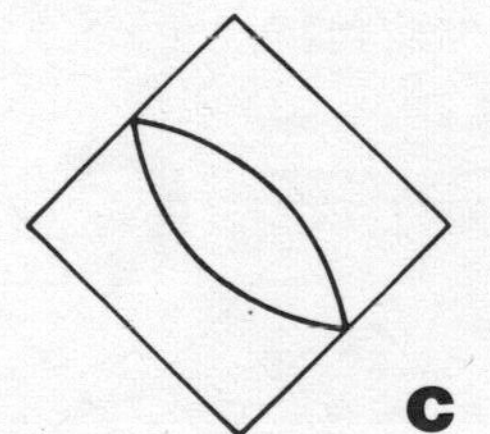

c

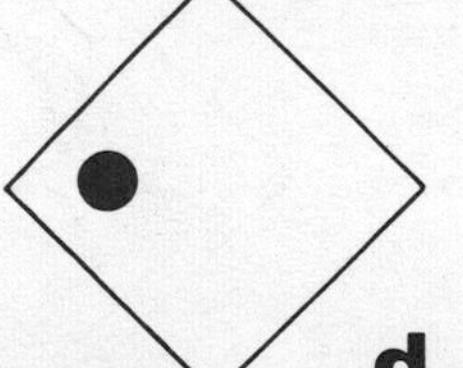

d

4

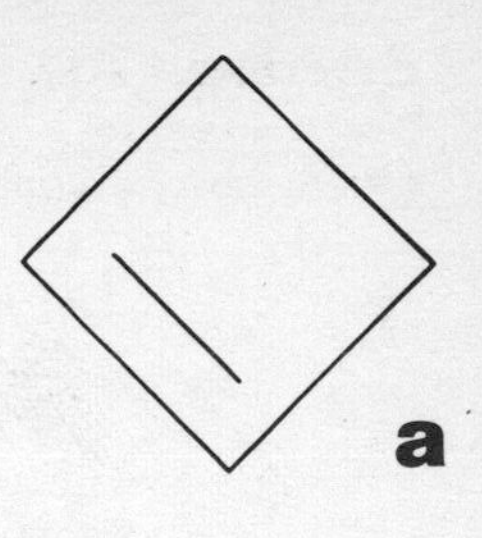

a

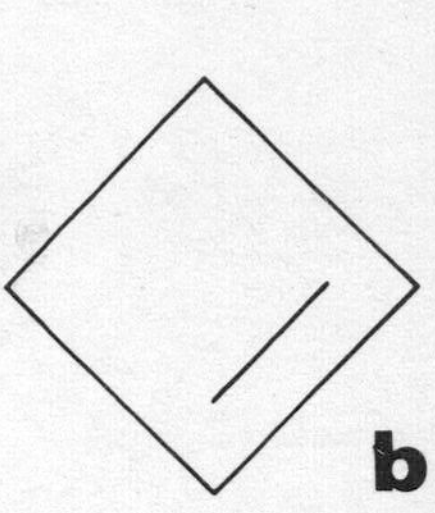

b

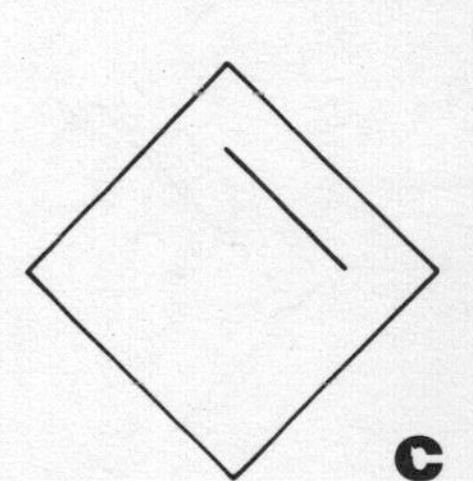

c

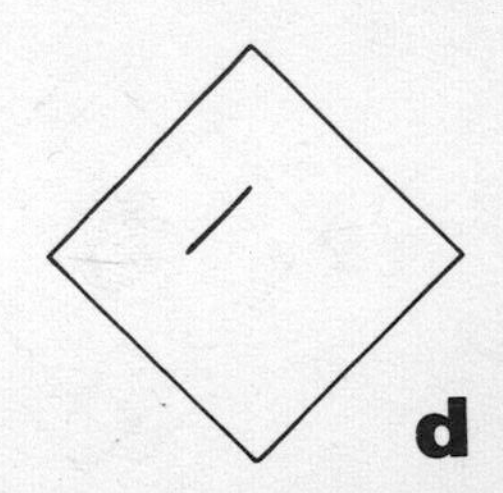

d

5

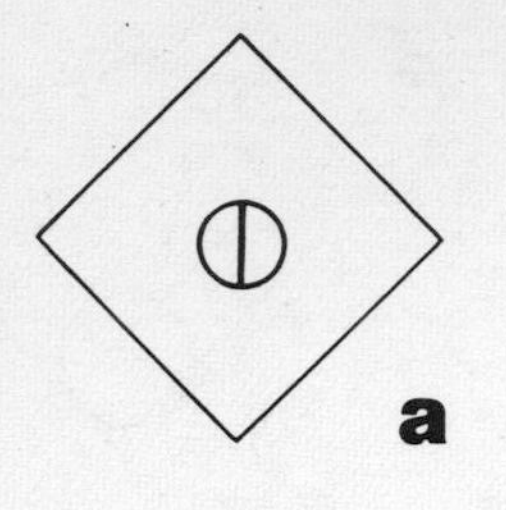

a

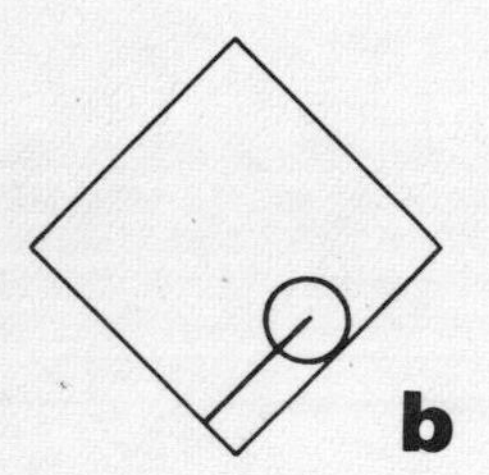

b

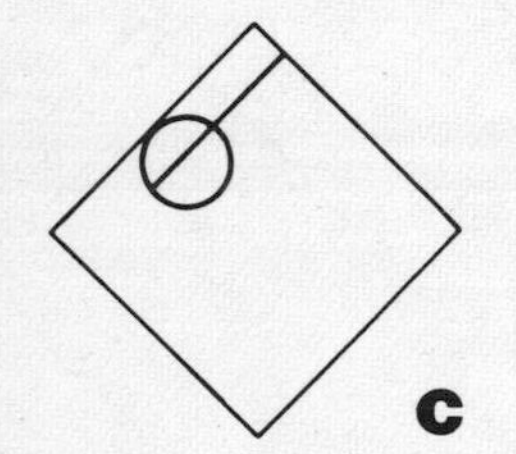

c

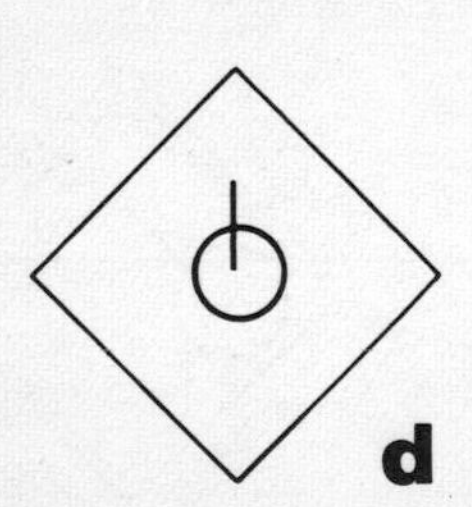

d

6

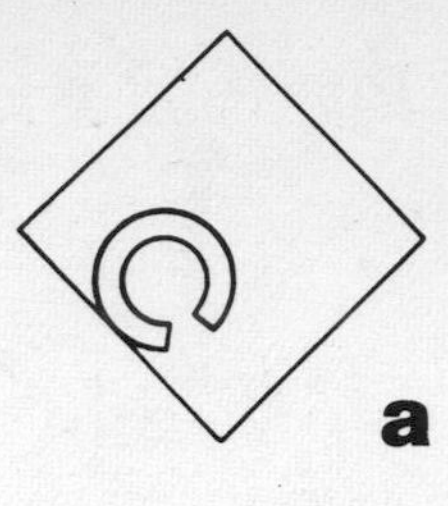

a

b

c

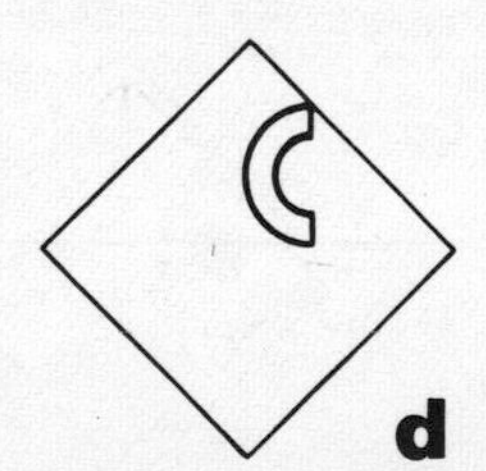

d

7

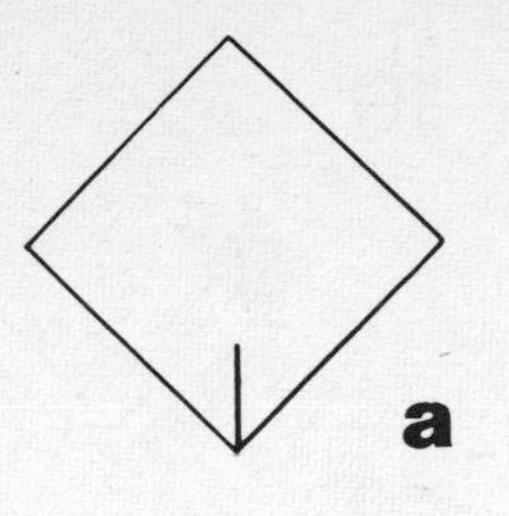

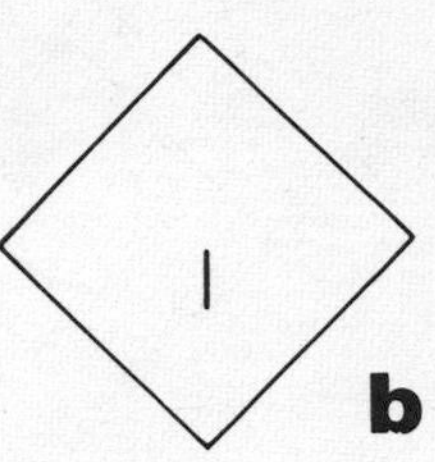

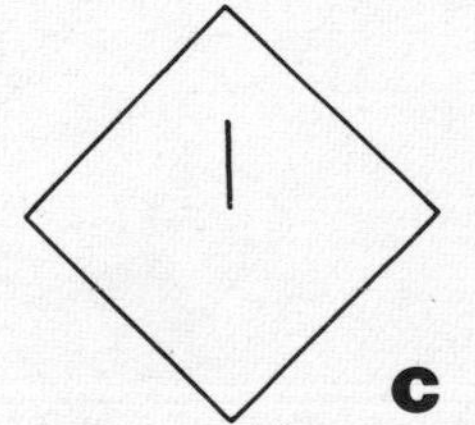

d

8

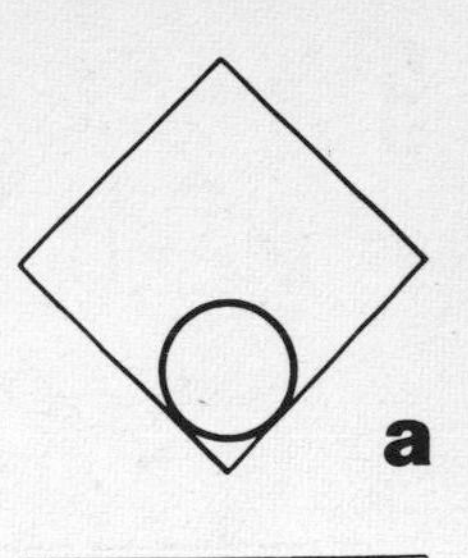

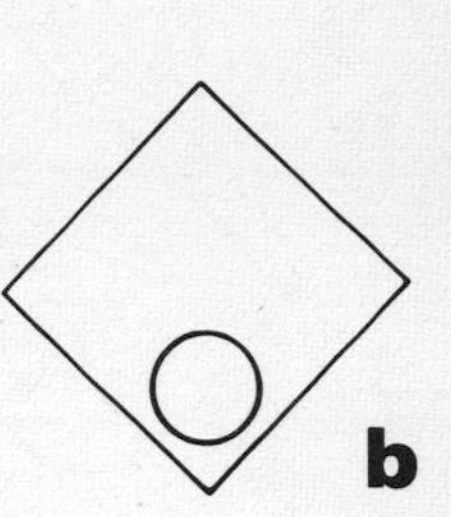

c

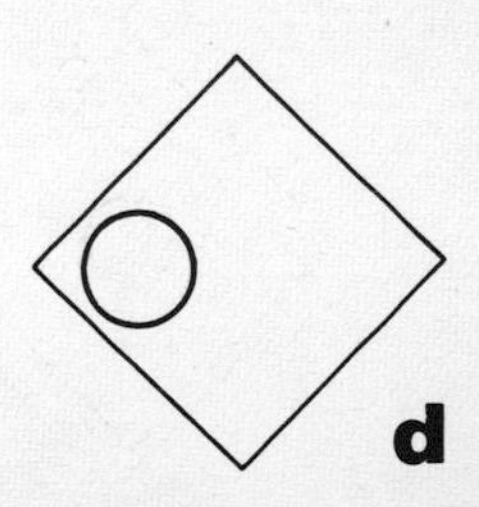

9

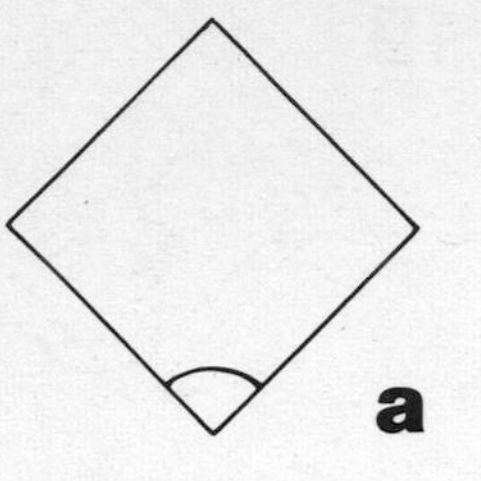

a

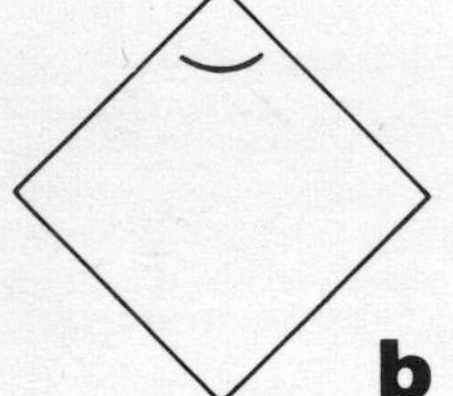

b

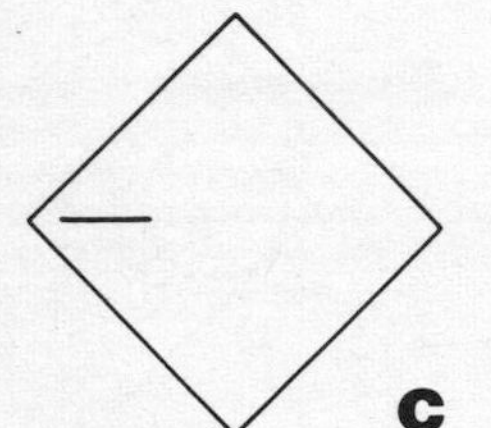

c

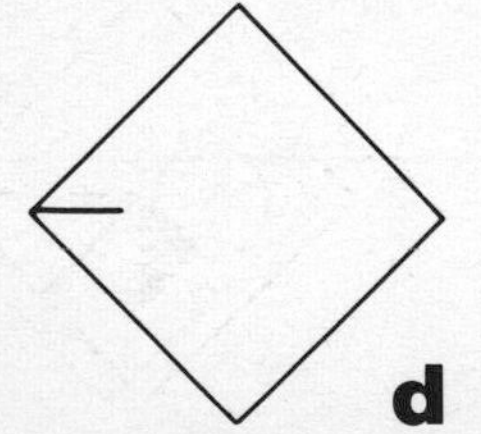

d

10

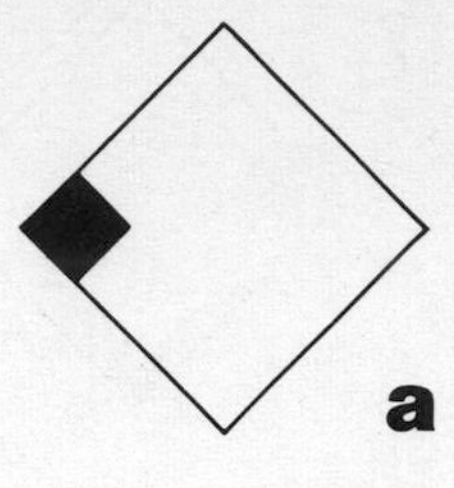

a

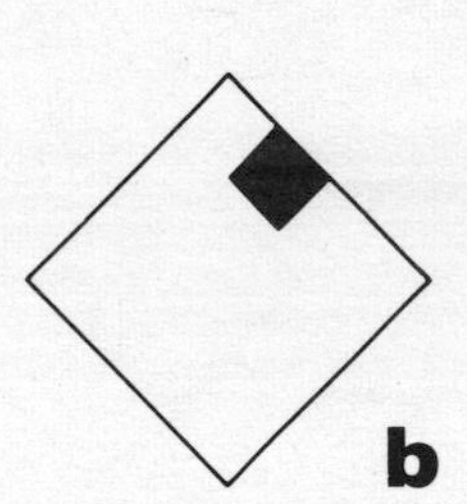

b

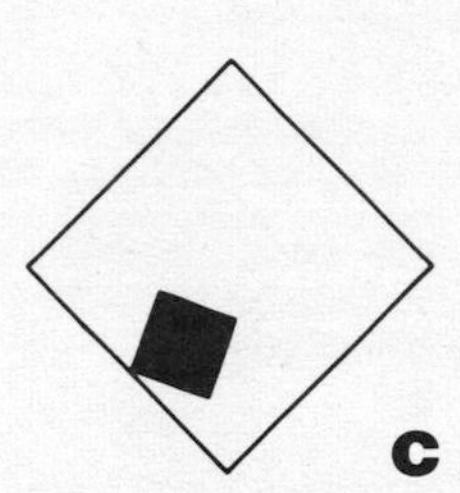

c

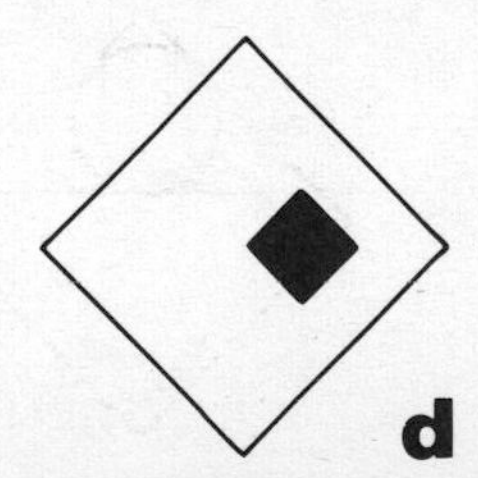

d

11

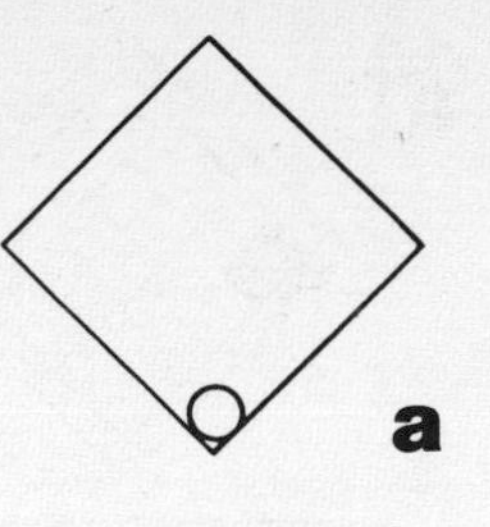

a

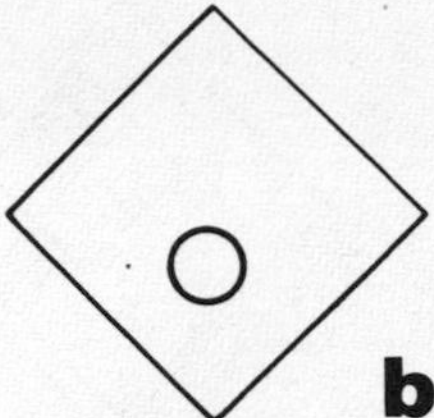

b

c

d

12

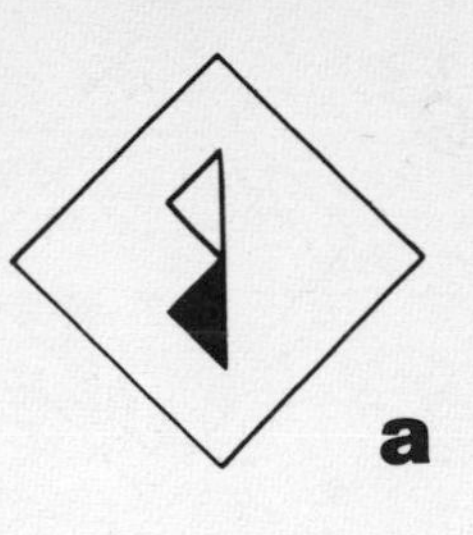

a

b

c

d

13

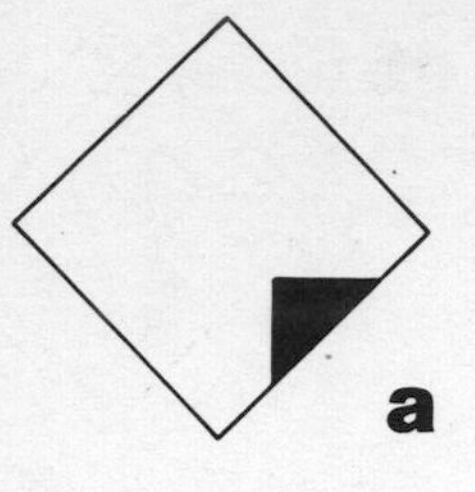

a

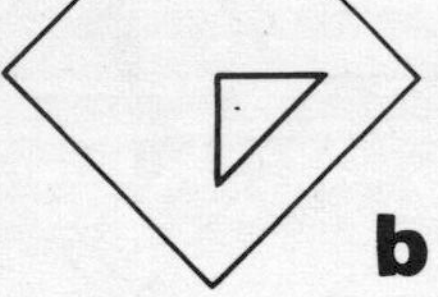

b

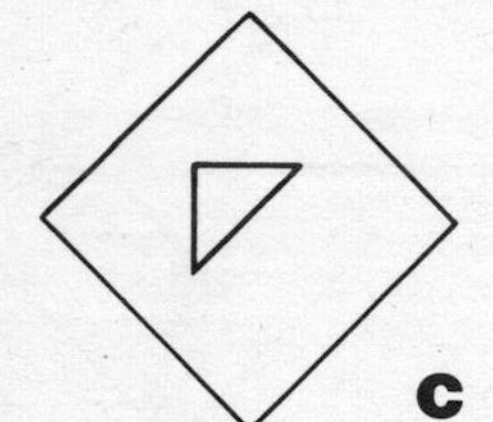

c

d

14

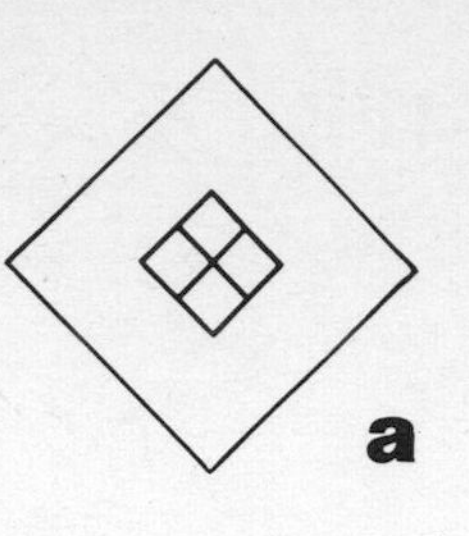

a

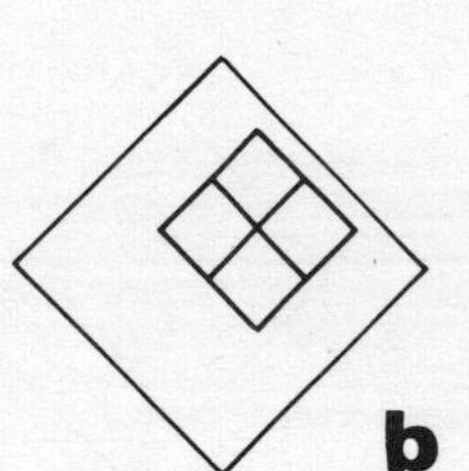

b

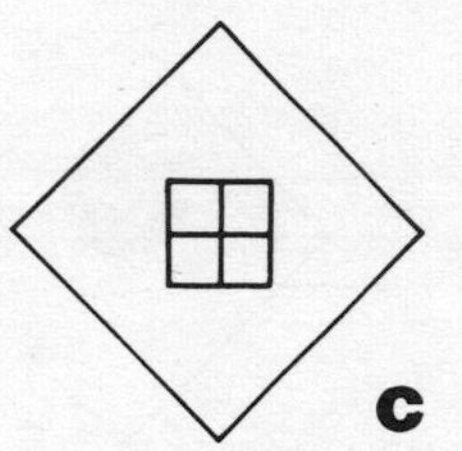

c

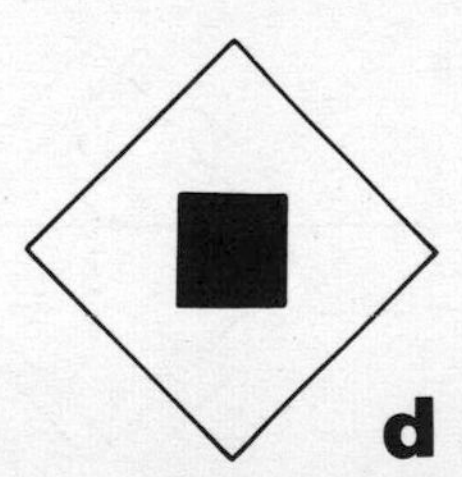

d

15

a

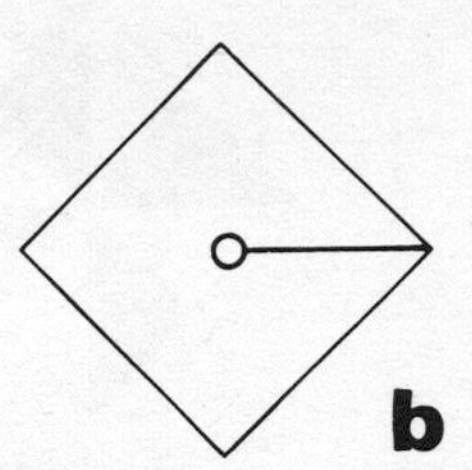

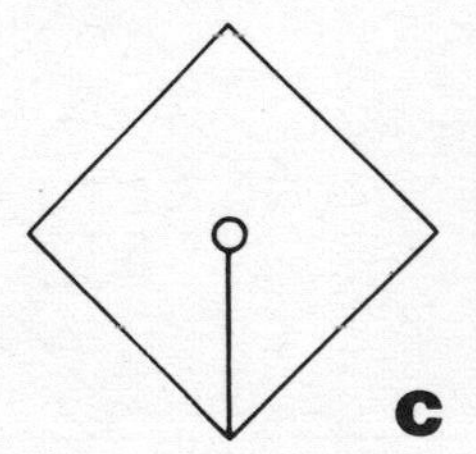

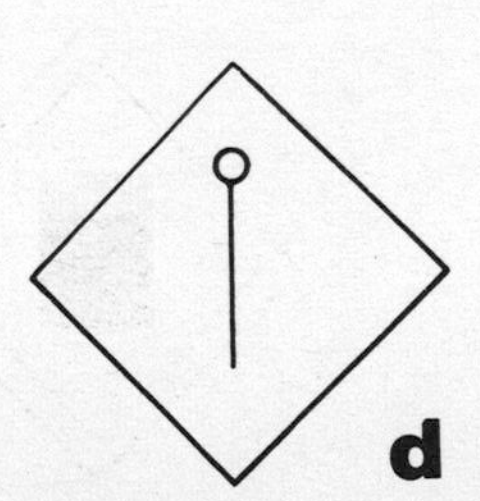

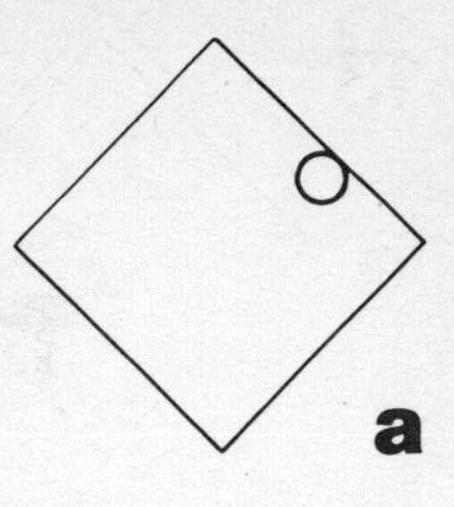

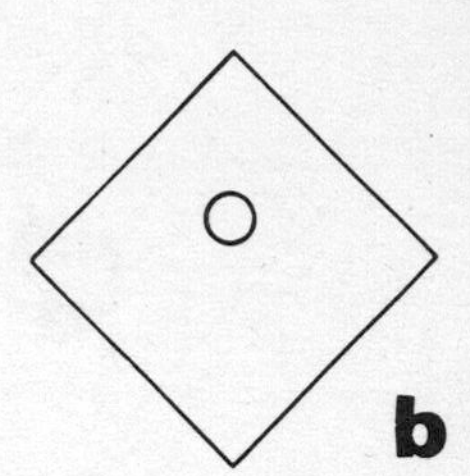

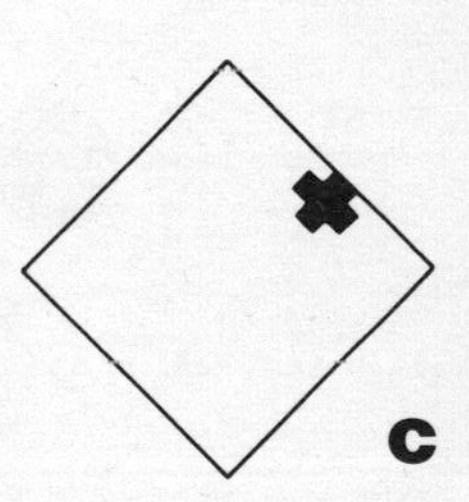

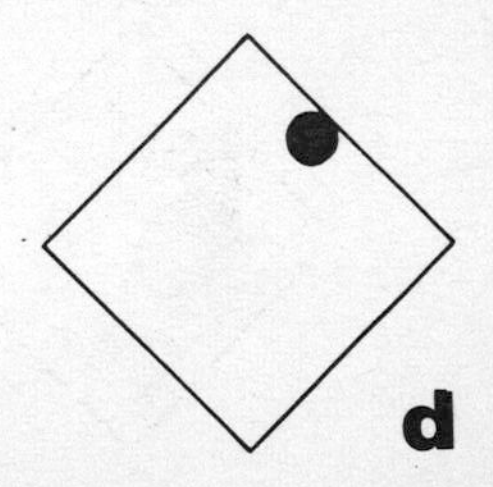

17

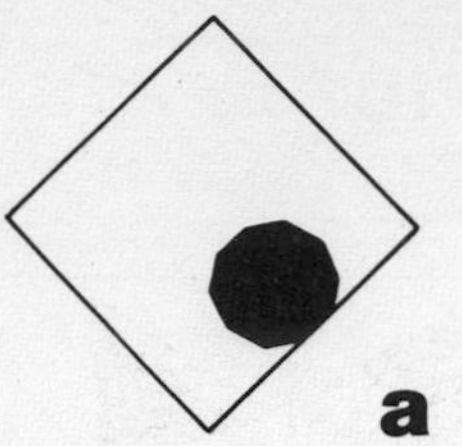

a

b

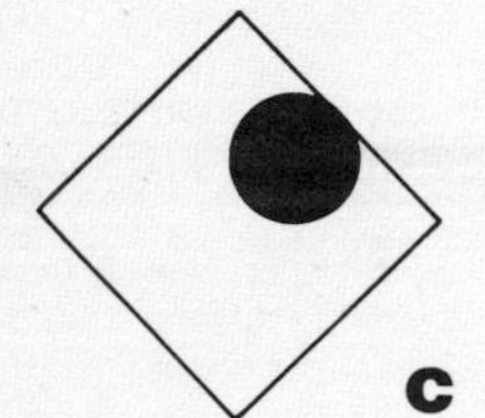

c

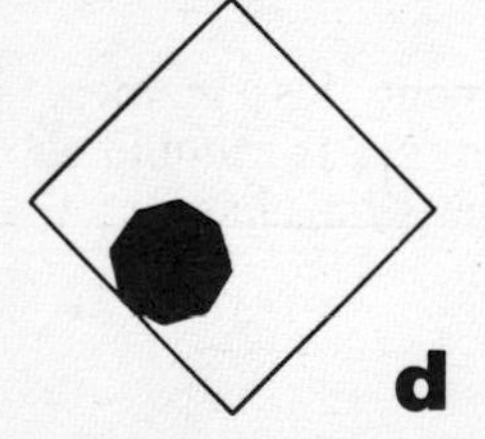

d

18

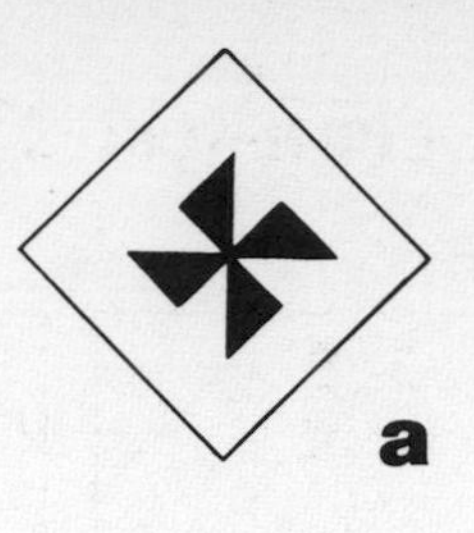

a

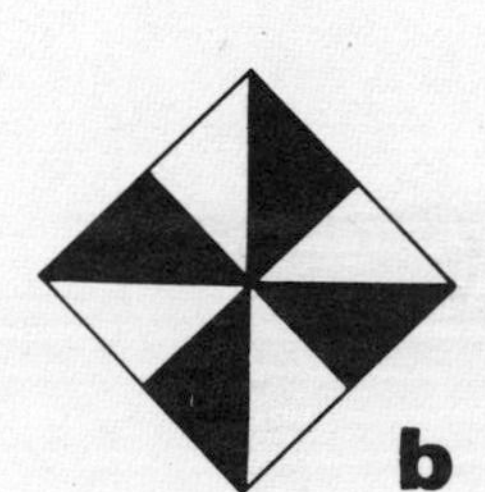

b

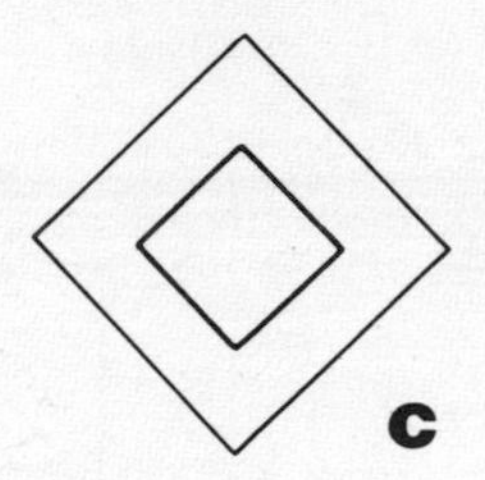

c

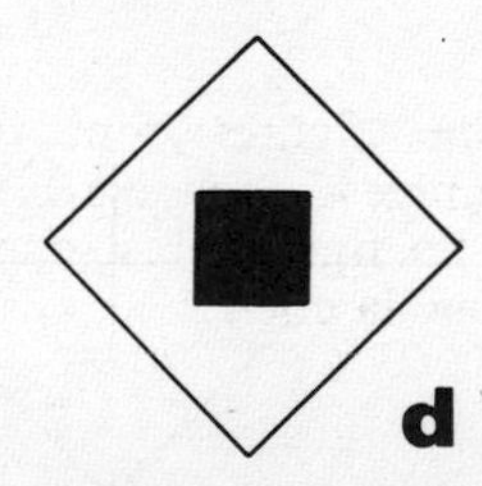

d

Leçon-test 22

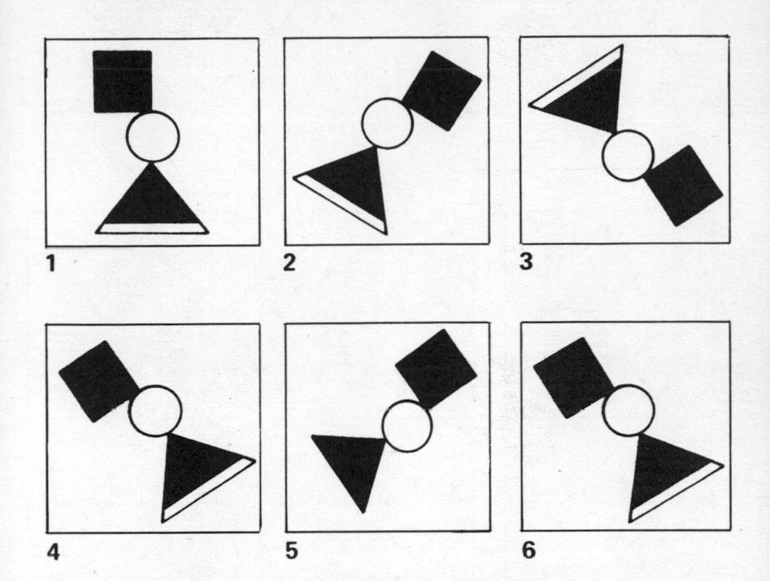

La figure pivote dans différentes directions. Apparemment, il s'agit toujours de la même figure. A y regarder de plus près, une seule diffère légèrement.

De quelle figure s'agit-il?

1 2 3 4 5 6

Cinq figures sont rigoureusement les mêmes. Par contre, le socle blanc est différent sur la cinquième.

La figure 5 est donc celle que l'on cherche; il faut donc la cocher.

Exercice 1

Deux des figures diffèrent. Lesquelles?

1 2 3 4 5 6 7 8 9

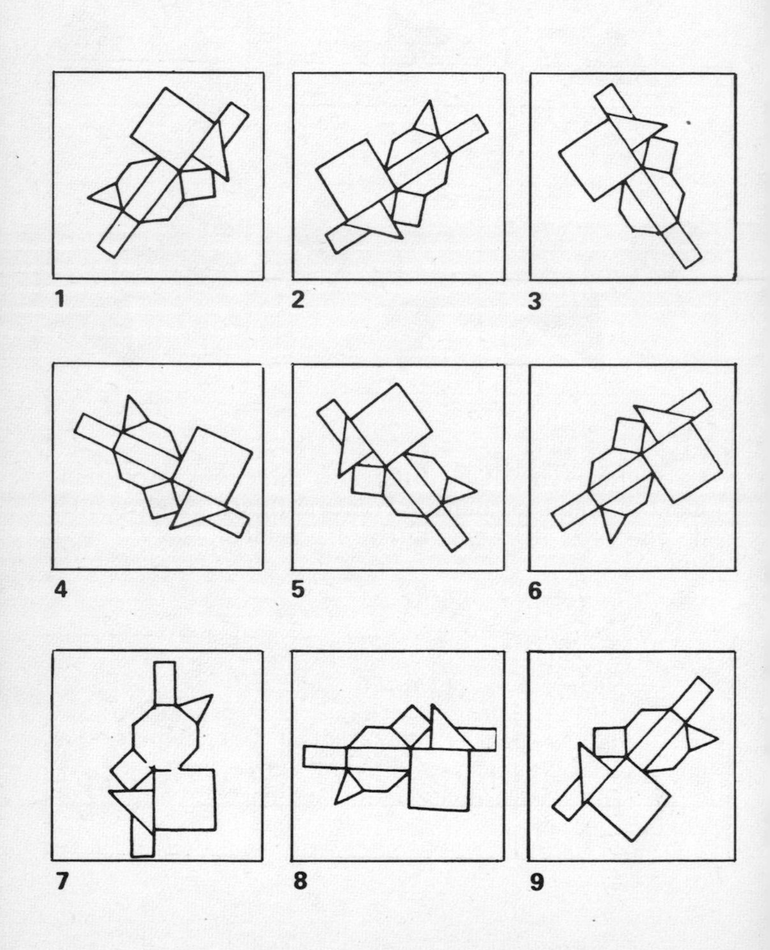

Exercice 2

Deux des figures diffèrent. Lesquelles?

1 2 3 4 5 6 7 8 9

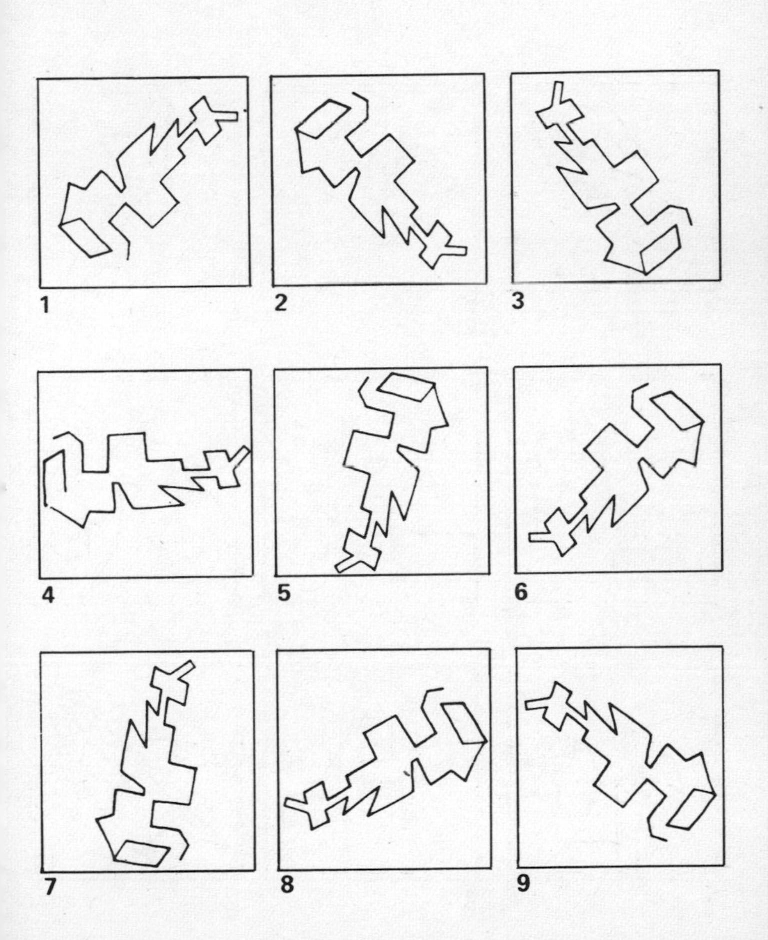

Exercice 3

Trois des figures diffèrent. Lesquelles?

1 2 3 4 5 6 7 8 9

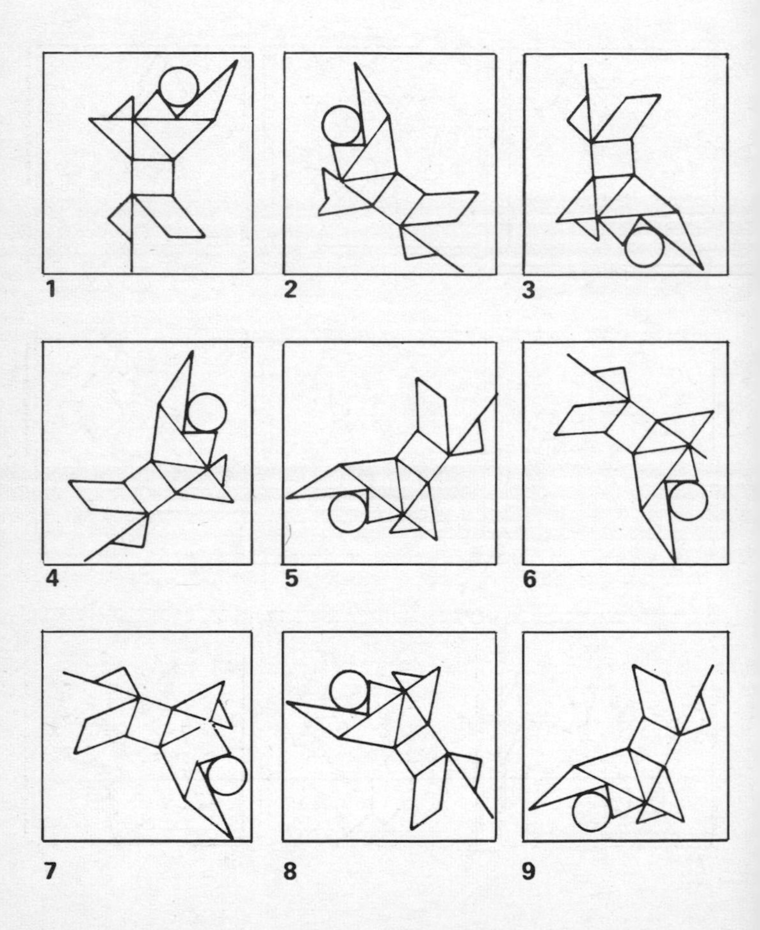

Exercice 4

Trois des figures diffèrent. Lesquelles?

1 2 3 4 5 6 7 8 9

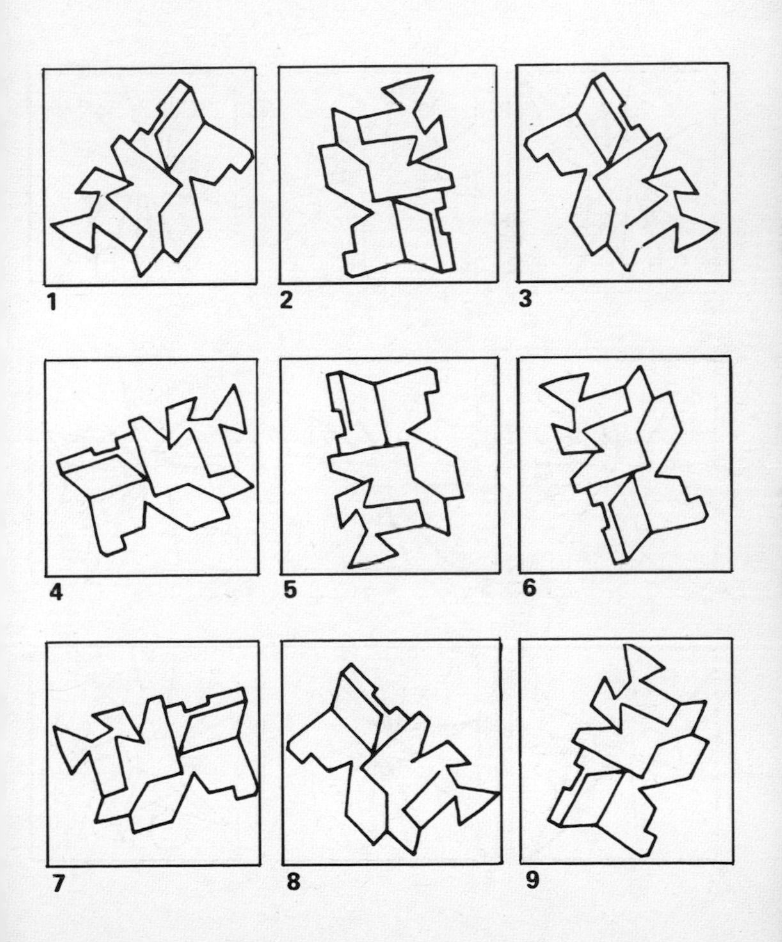

Exercice 5

Quatre des figures diffèrent. Lesquelles?

1 2 3 4 5 6 7 8 9

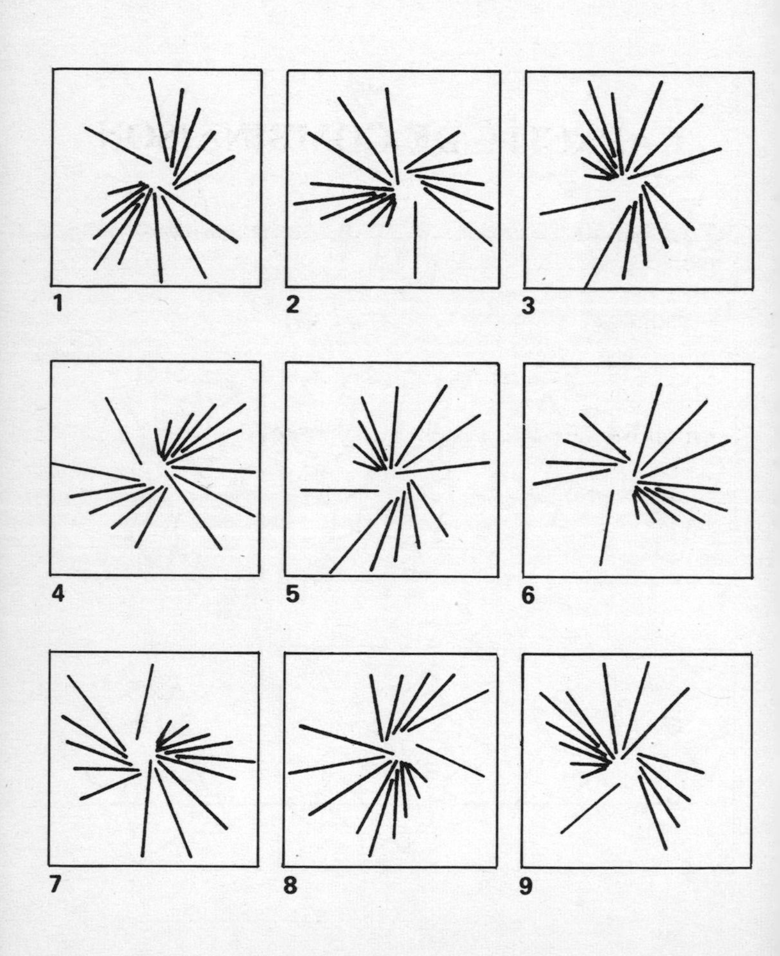

CAPACITÉ DE COMBINAISON

Vous pourrez, dans les exercices suivants, exercer vos facultés combinatoires :

- résolution spontanée d'alternatives ;
- précision et clarté de votre système de pensée ;
- mobilité de votre système de pensée ;
- flair et intuition.

Leçon-test 23

Pouvez-vous reconnaître ce que représentent les lignes tracées en pointillés? Si vous comparez ce tracé avec la photo de droite, vous constaterez alors qu'il se calque très exactement sur l'image photographiée.

Nous allons maintenant vous présenter douze photos et huit tracés. Huit des photos correspondent aux huit tracés (même cas de figure que dans l'exemple précité). À vous d'assembler les deux.

Exemple: le tracé 1 est-il compatible avec l'image A, B, ..., L ou M?

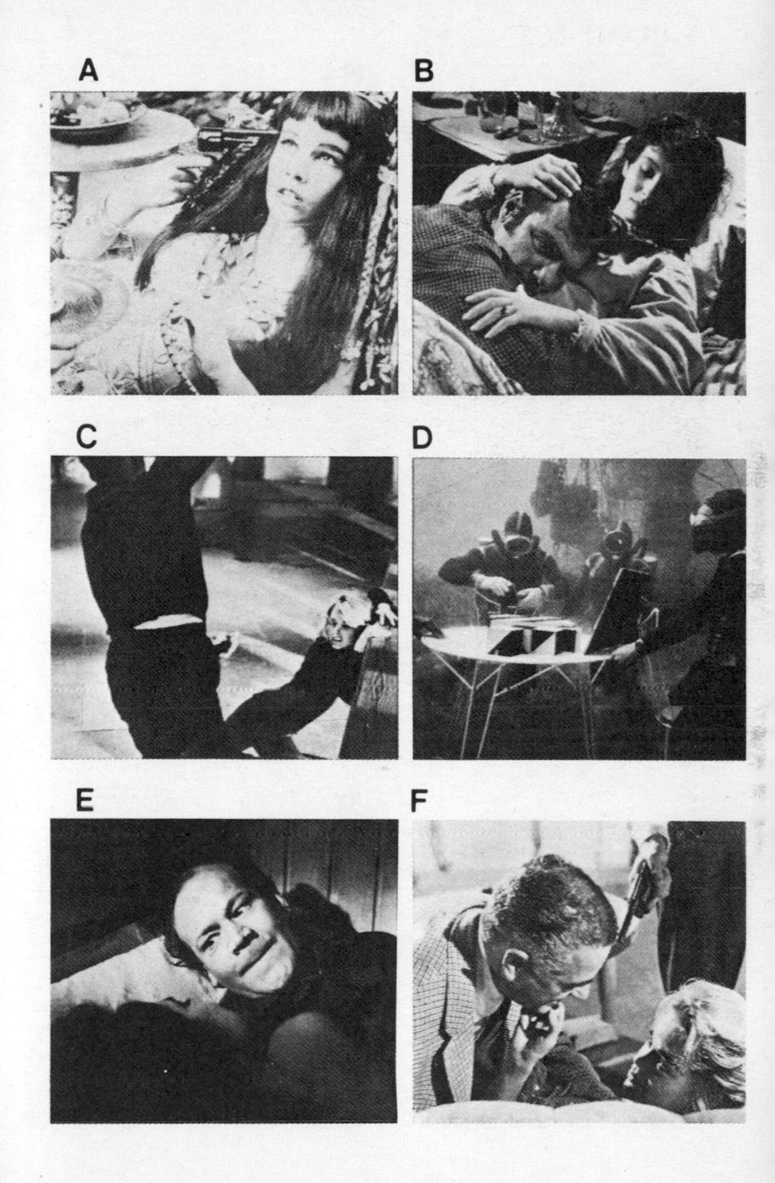
A
B
C
D
E
F

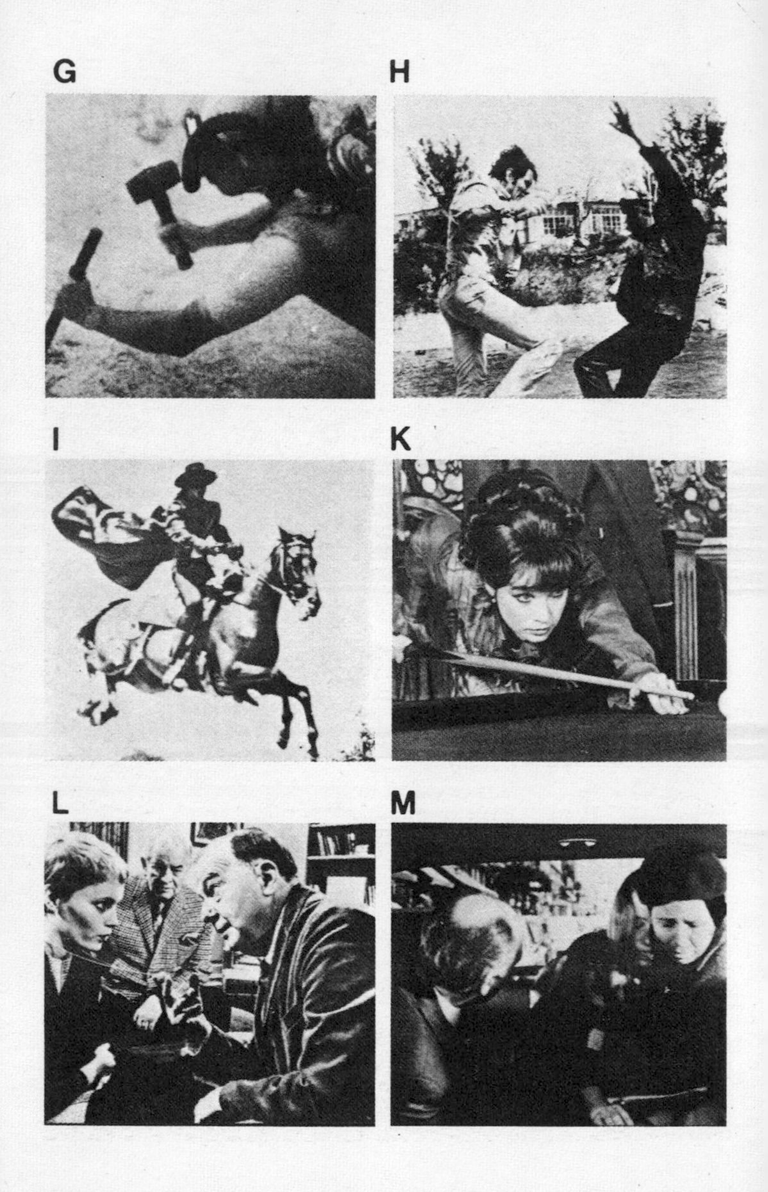
G
H
I
K
L
M

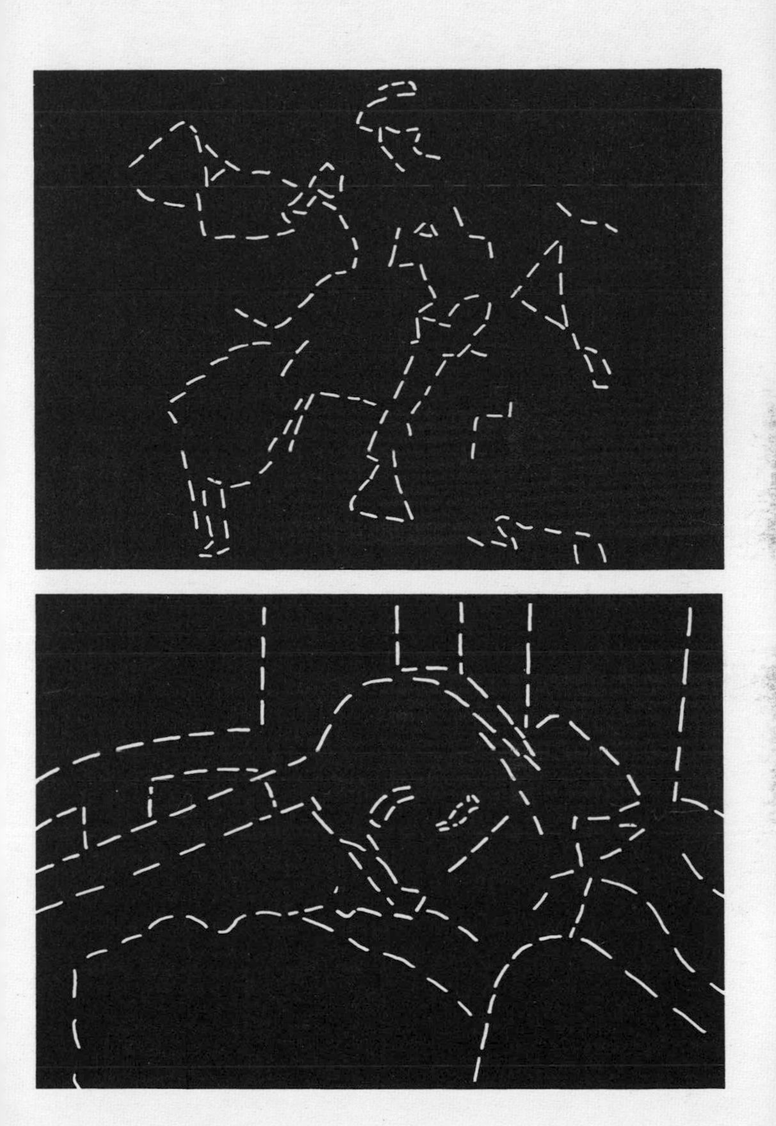

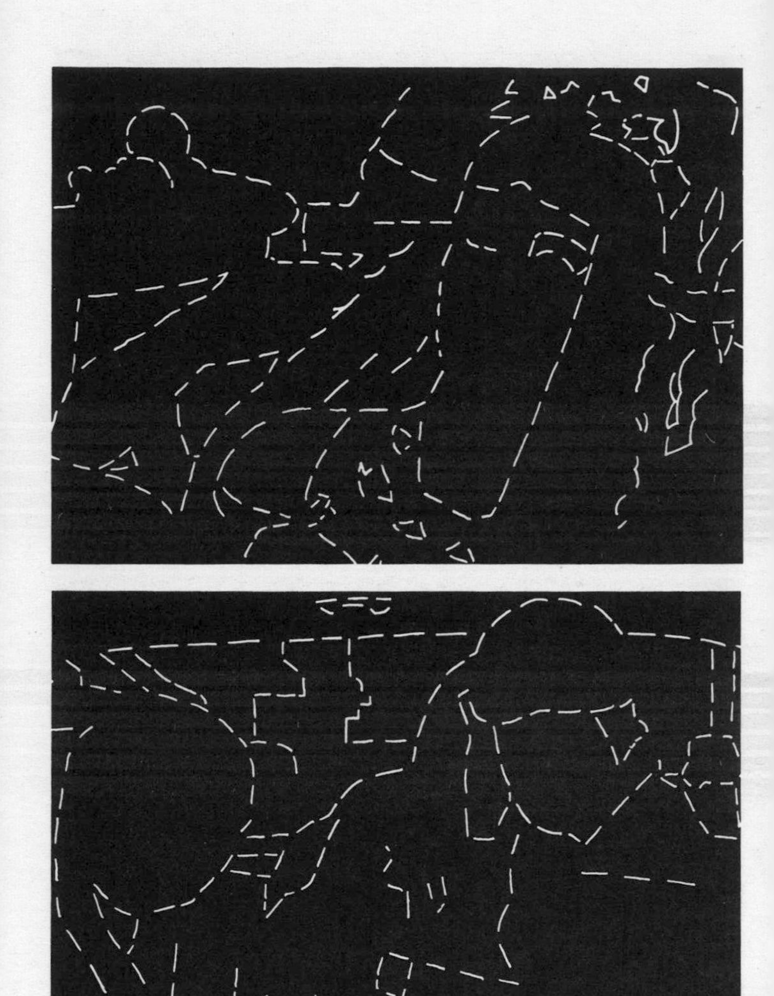

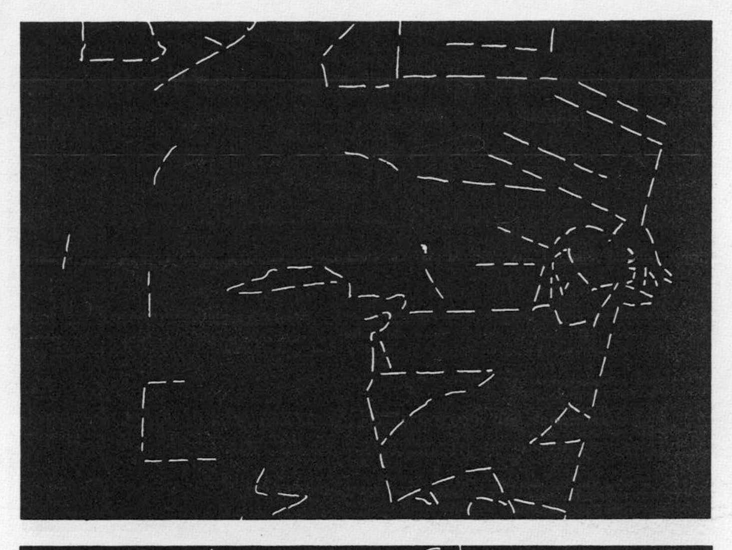

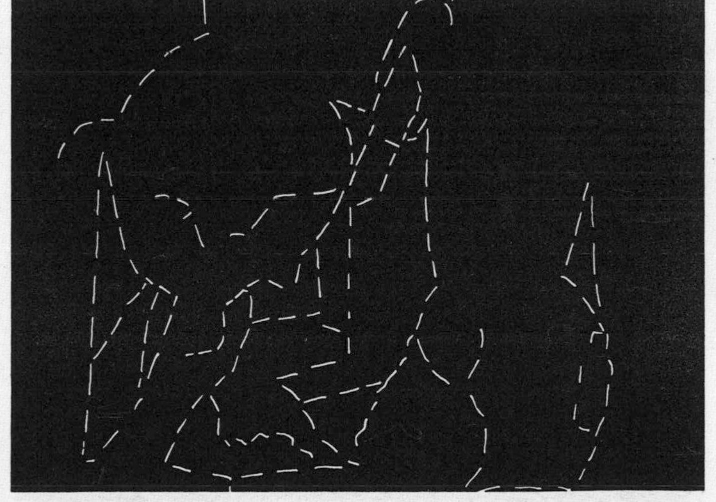

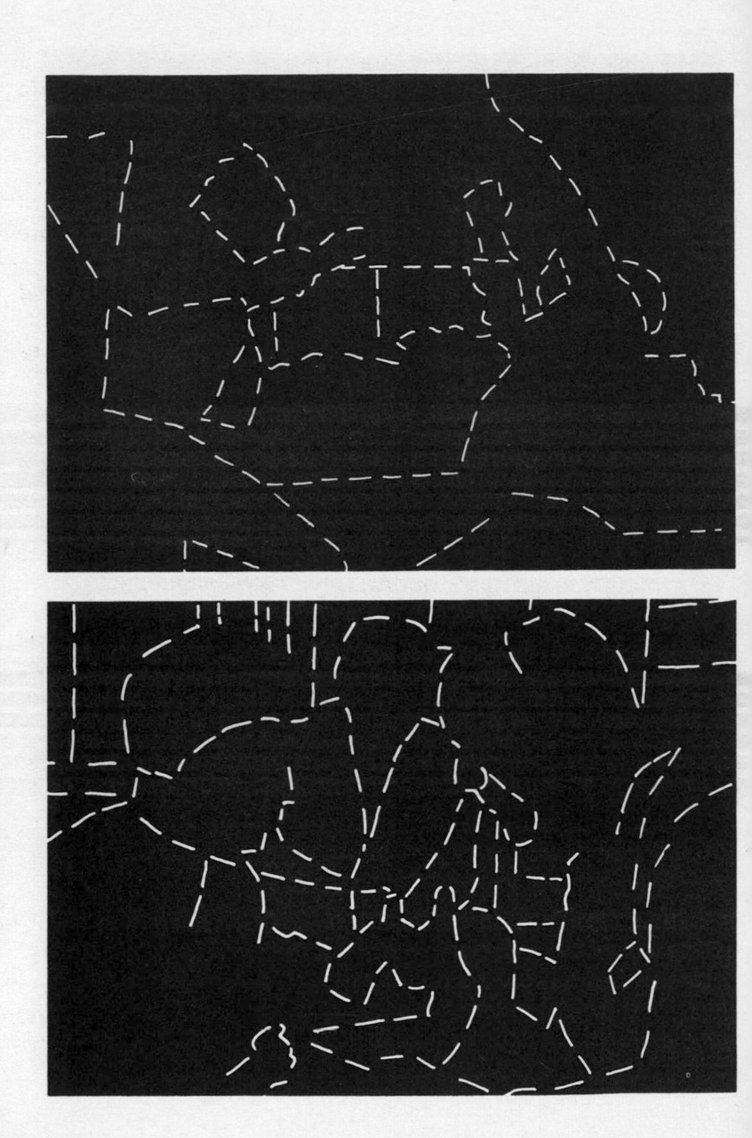

Leçon-test 24

Frank est policier. Il mesure 1,80 m et pèse 80 kilos. La taille minima requise pour pouvoir être policier est de 1,68 m.

1 - Les policiers sont plus grands que la moyenne.
2 - Frank est supérieur à la moyenne.
3 - Il existe des policiers qui mesurent plus de 1,75 m.
4 - Toute proportion gardée, les policiers ne pèsent pas très lourd.
5 - Plus on est grand, plus vite on peut devenir policier.

Ce sont là cinq déductions que l'on pourrait faire à partir du texte ci-dessus. Mais une seule parmi les cinq est juste.

Quelle conclusion peut-on tirer du texte d'origine sans avoir aucune autre information supplémentaire?

Le texte ne dit rien sur les qualités des policiers. Il ne donne aucune indication sur leur poids et leur taille: s'ils sont petits, moyennement grands ou plus grands que la moyenne.

La phrase n° 3 est la seule à ne reprendre dans sa formulation aucune autre information que celle déjà apportée par le texte d'origine.

Elle est donc la seule à être juste. C'est pourquoi 3 est la solution qui doit être marquée d'une croix.

Exercices 1 à 9

Ne disposant d'aucune autre information sinon celles fournies par le texte, laquelle des cinq conclusions proposées vous paraît juste?

La plupart des escrocs peuvent être démasqués.

1 - La plupart des escrocs sont punis.
2 - Les escrocs méritent d'être châtiés.
3 - La police agit efficacement contre les escrocs.
4 - Les escrocs sont toujours démasqués.
5 - Quelques escrocs ne sont pas démasqués.

2. En règle générale, une voiture coûte plus cher de nos jours qu'il y a dix ans.

1 - Les constructeurs utilisent aujourd'hui des matériaux plus coûteux.
2 - Les voitures d'aujourd'hui sont plus confortables.
3 - Les coûts de production ont augmenté ces dix dernières années.
4 - La plupart des voitures construites aujourd'hui sont plus grandes qu'il y a dix ans.
5 - Le coût de la vie a augmenté en dix ans.

3. L'homme d'aujourd'hui est en moyenne plus instruit qu'au siècle passé.

1 - À notre époque, un enfant en sait probablement plus que son grand-père.
2 - Les moyens pédagogiques sont actuellement meilleurs.
3 - Beaucoup d'idiots sont morts ces dix dernières années.
4 - Des parents intelligents ont des enfants intelligents.
5 - Des hommes intelligents épousent des femmes intelligentes.

4. Dans nos villes, les agressions sont plus fréquentes la nuit que le jour.

1 - Il est courant, dans l'obscurité, qu'un passant trop peu méfiant soit agressé.
2 - Il y a plus d'agressions une fois la nuit tombée car il fait plus sombre.
3 - La probabilité de se faire agresser est plus élevée en ville la nuit que le jour.
4 - L'obscurité est propice aux agressions.
5 - Le fait que les rues soient moins fréquentées favorise une augmentation des agressions.

5. En une année d'exercice, un chef d'entreprise a réalisé un bénéfice de 160 millions de F.

1 - La société en question est extrêmement productive.
2 - L'entrepreneur a réalisé un bénéfice avec son entreprise.
3 - La conjoncture cette année n'était pas favorable aux bénéfices.
4 - 160 millions de F est un bon bénéfice.
5 - La société rapporterait plus avec un autre produit.

6. Alors que les réserves d'eau sur terre stagnent, l'industrialisation et le besoin en eau ne cessent de grandir.

1 - Il sera nécessaire dans le futur de ne pas gaspiller l'eau.
2 - Les hommes devraient plus se pencher sur le problème de l'eau et trouver les moyens d'en augmenter les réserves.
3 - Dans l'avenir, l'industrie manquera d'eau.
4 - Les conditions de vie seront plus difficiles.
5 - La terre sera de plus en plus industrialisée.

7. Le problème de la drogue révèle que notre société est décadente.

1 - Les drogués n'ont aucune influence sur notre société.
2 - Notre société ne s'interroge pas sur son avenir.
3 - Le problème de la drogue est un point de repère fiable pour mesurer le déclin de notre société.
4 - Les problèmes de notre temps révèlent quelques-uns des aspects du développement de notre société.
5 - Les problèmes visibles sont ceux qui représentent le mieux notre société.

8. La police a remarqué qu'un des moyens de faire respecter la limitation de vitesse aux automobilistes était de placer des contrôles radar aux endroits adéquats.

1 - Lorsque les automobilistes remarquent les contrôles radar, ils respectent la limitation de vitesse.
2 - L'un des moyens de faire respecter les limitations de vitesse est de procéder à des contrôles radar.
3 - Le problème du respect de la limitation de vitesse peut être résolu par des contrôles radar installés en nombre suffisant.
4 - Les automobilistes sont de plus en plus insouciants et ne savent pas respecter les limitations de vitesse.
5 - Le meilleur moyen d'amener un automobiliste à changer son comportement au volant est de le soumettre à des contrôles radar.

9. Les avions à réaction se déplacent par propulsion.

1 - La plupart des avions à réaction sont des avions facilement maniables, de la ligne élancée.
2 - L'avion à réaction vole à contrevent.
3 - Les gaz propulsés provoquent une réaction qui permet à l'avion d'avancer.
4 - La plupart des avions à réaction ont quatre réacteurs.
5 - La propulsion par réaction permet aux avions à réaction de voler plus vite que d'autres.

Leçon-test 25

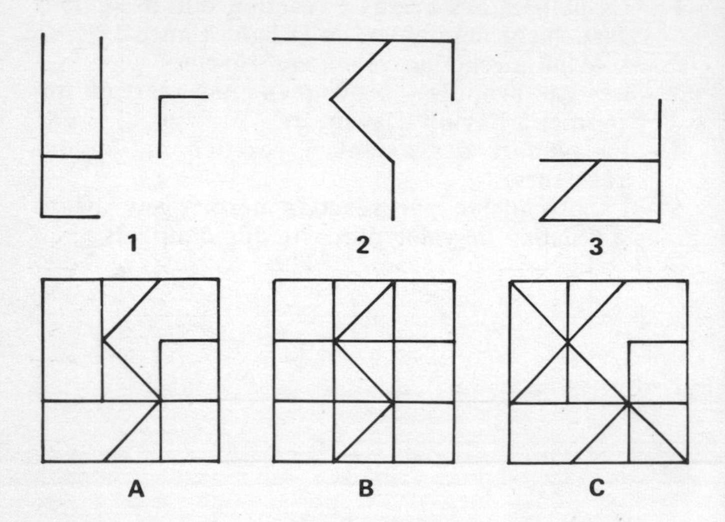

Les morceaux 1, 2 et 3 en exemple ci-dessus font partie des ensembles A, B et C. Assemblés, ces trois fragments reconstituent très exactement l'une des trois figures A, B ou C.

Dans le cas de figure cité en exemple, à quoi correspondent 1, 2 et 3 assemblés ?

A B C

L'assemblage reconstitue la figure A.
A est donc la bonne réponse qu'il faut entourer.

Exercices de 1 à 10

Dans les exemples qui suivent, reconstituez une des figures proposées (A, B ou C) à partir des morceaux 1, 2 et 3.

1

2

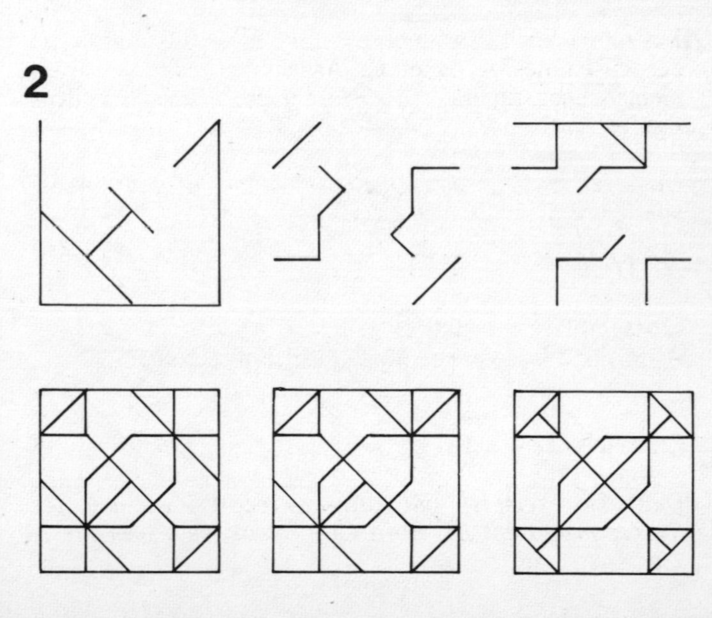

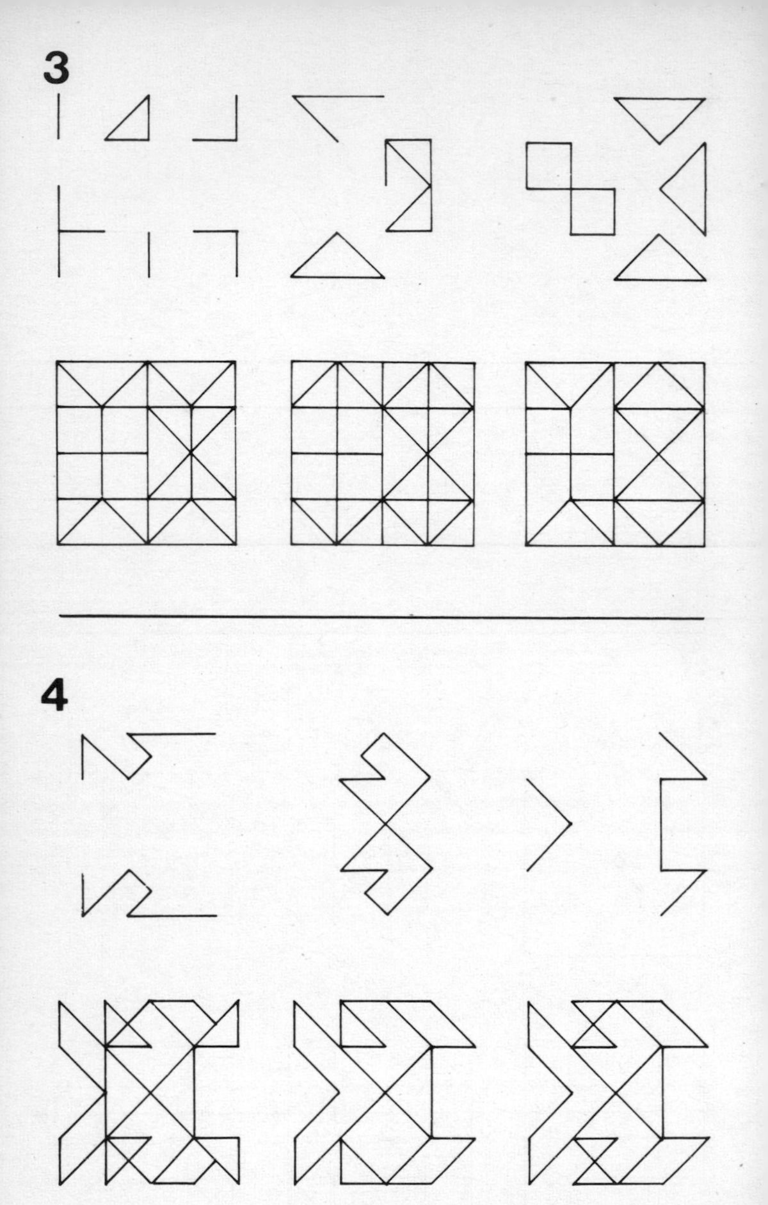
3
4

5

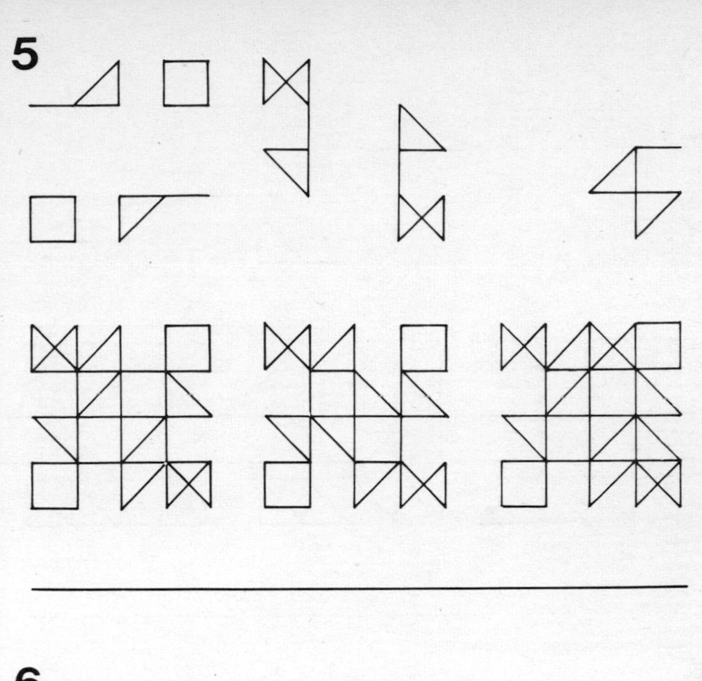

6

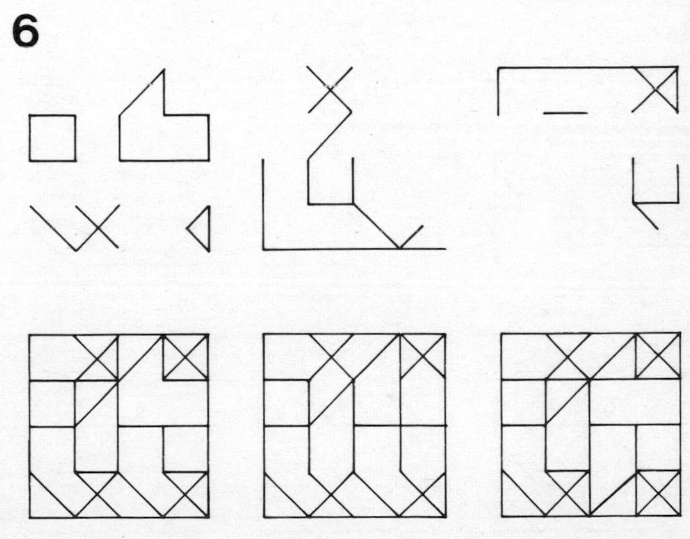

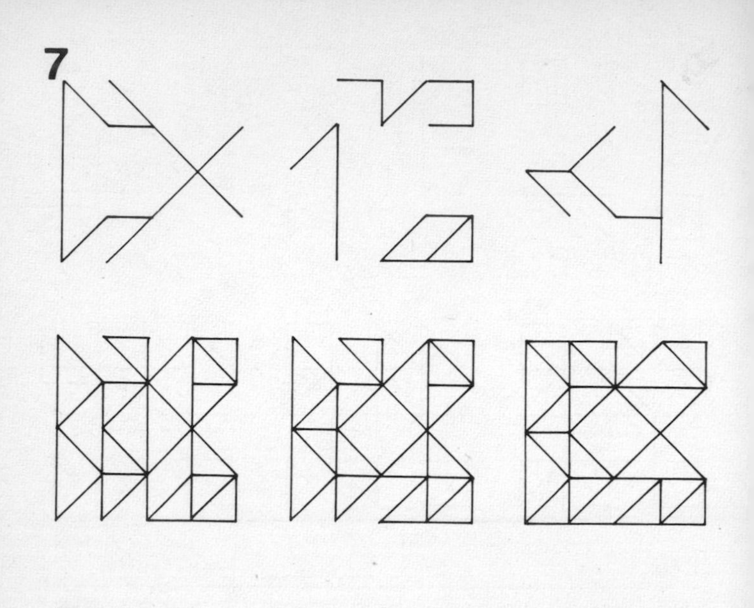

9

10

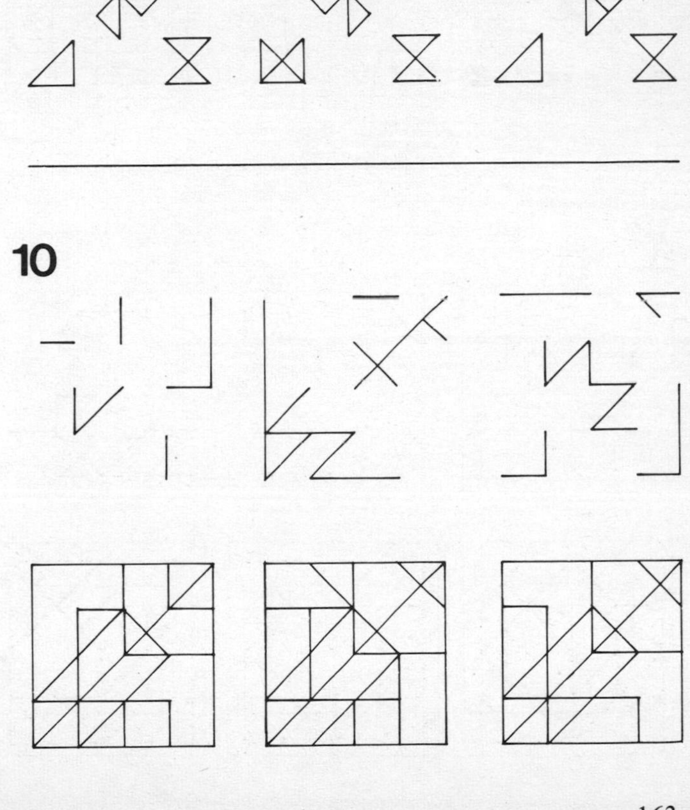

11

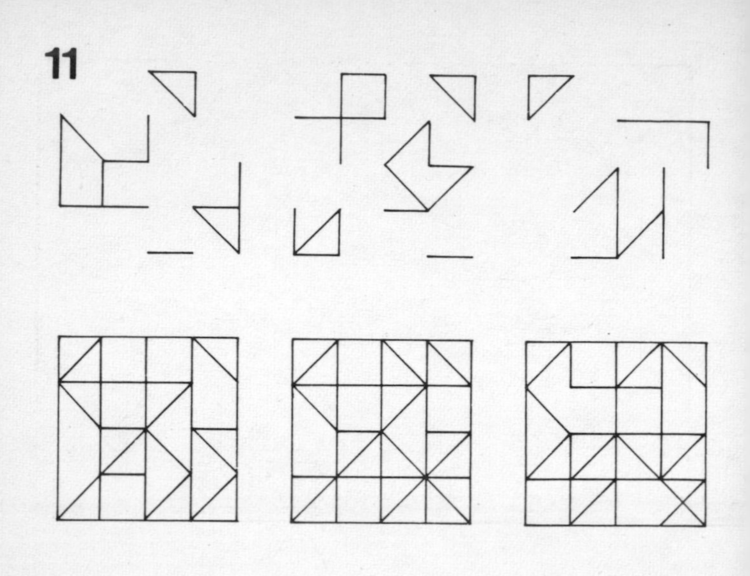

12

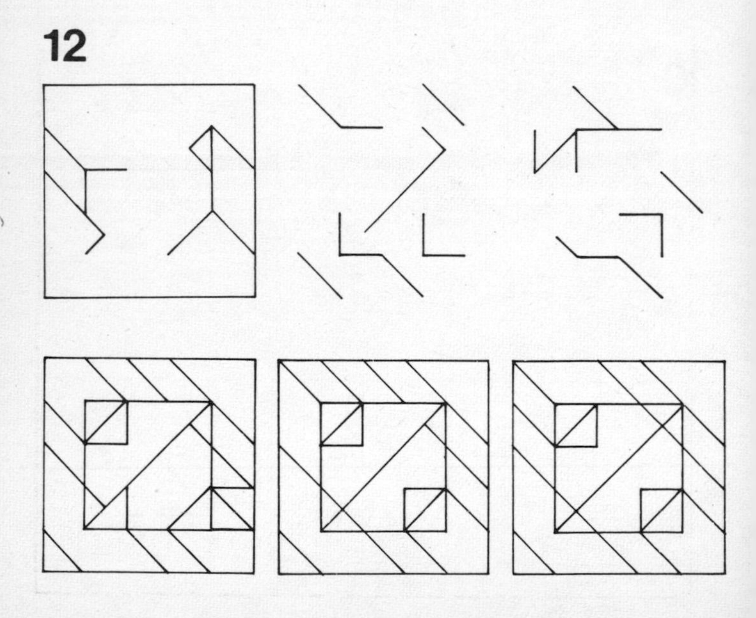

TROISIÈME PARTIE

À combien s'élève votre quotient intellectuel ?

Les tests qui vous sont proposés ont certes été conçus comme support pour vous entraîner à penser. Ils permettent d'estimer vos performances intellectuelles sans toutefois prétendre à une précision scientifique. Ces performances sont communément mesurées à l'aide d'une valeur qu'est le quotient intellectuel (QI).

À l'aide des tableaux présentés précédemment, on peut déterminer son QI général ainsi que celui propre aux cinq facteurs d'intelligence définis.

Pour pouvoir définir votre QI, procédez de la façon suivante : après avoir reporté votre VC (Valeur Calculée) en abscisse pour chaque exercice concerné, remontez jusqu'à ce que vous croisiez la diagonale. Puis, à partir du point d'intersection, déplacez-vous vers la gauche et vous définirez ainsi votre QI correspondant ainsi que votre situation par rapport à la moyenne.

Tableau 1 : QI et maîtrise du langage
Tableau 2 : QI et aptitude à compter
Tableau 3 : QI et perception de l'espace
Tableau 4 : QI et capacité de réflexion
Tableau 5 : QI et capacité de combinaison
Tableau 6 : QI général.

Il est certainement intéressant et instructif de calculer, à l'aide des cinq facteurs d'intelligence définis, le profil d'un individu dans chacun de ces cinq domaines d'intelligence en question.

L'indication en pourcentage du QI permet de vous situer par rapport au reste de la population. 75 %, par exemple, signifie que 75 % de vos compatriotes (d'âge et de niveau équivalents) font moins bien que vous mais que 25 % font mieux. Plus le pourcentage est élevé, plus le risque d'être battu dans ses performances par quelqu'un d'autre est faible.

L'importance du QI agit de la même façon sur le testé que sur le test: sont alors en jeu la valeur de sa propre conscience ainsi que la fiabilité du test. Il a souvent été constaté que lors de tests psychologiques — et particulièrement lorsqu'il s'agit de tests d'intelligence —, le degré de popularité du test et celui de l'intelligence du candidat sont étroitement liés. Plus le candidat réussit les exercices, plus grand est son enthousiasme pour les tests d'intelligence et inversement!

Quoi qu'il en soit, bonne chance, nous vous souhaitons un QI élevé!

Tableau 1 - QI et maîtrise de la langue

1) Calculez la valeur suivante :

$$\left(\frac{X_2}{45} + \frac{X_3}{25} + \frac{X_4}{22} + \frac{X_5}{45} + \frac{X_6}{18} + \frac{X_7}{16} + \frac{X_8}{10}\right) \times 30 = \boxed{}$$

2) En fonction de celle-ci, calculez votre QI et situez-vous par rapport à la moyenne en vous aidant du graphique ci-dessous.

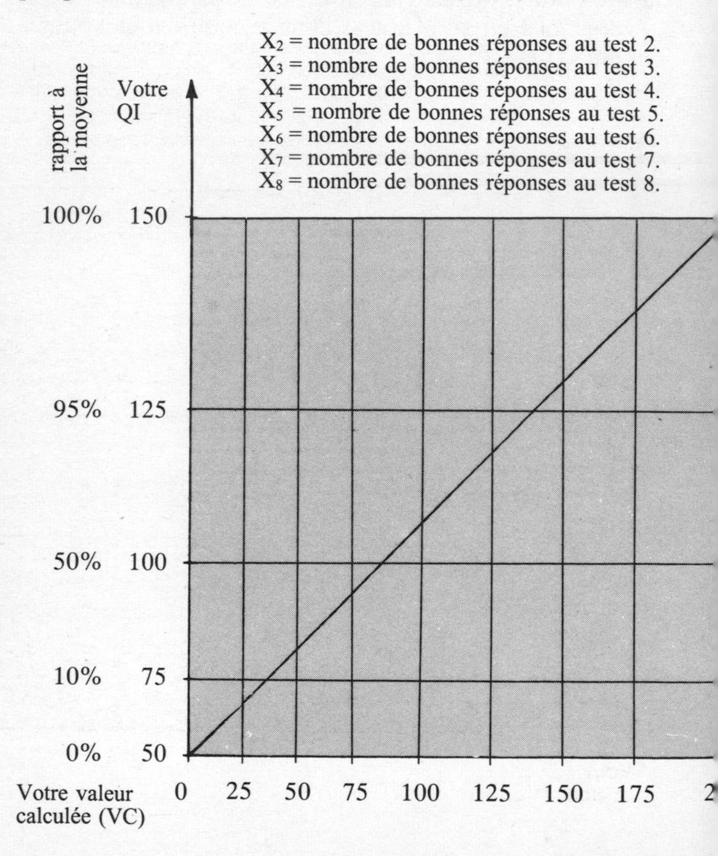

Tableau 2 - QI et perception de l'espace

1) Calculez la valeur suivante :

$$\left(\frac{X_9}{6} + \frac{X_{10}}{10} + \frac{X_{11}}{6} + \frac{X_{12}}{6} + \frac{X_{13}}{4}\right) \times \frac{32}{5} = \boxed{}$$

2) En fonction de celle-ci, calculez votre QI et situez-vous par rapport à la moyenne en vous aidant du graphique ci-dessous.

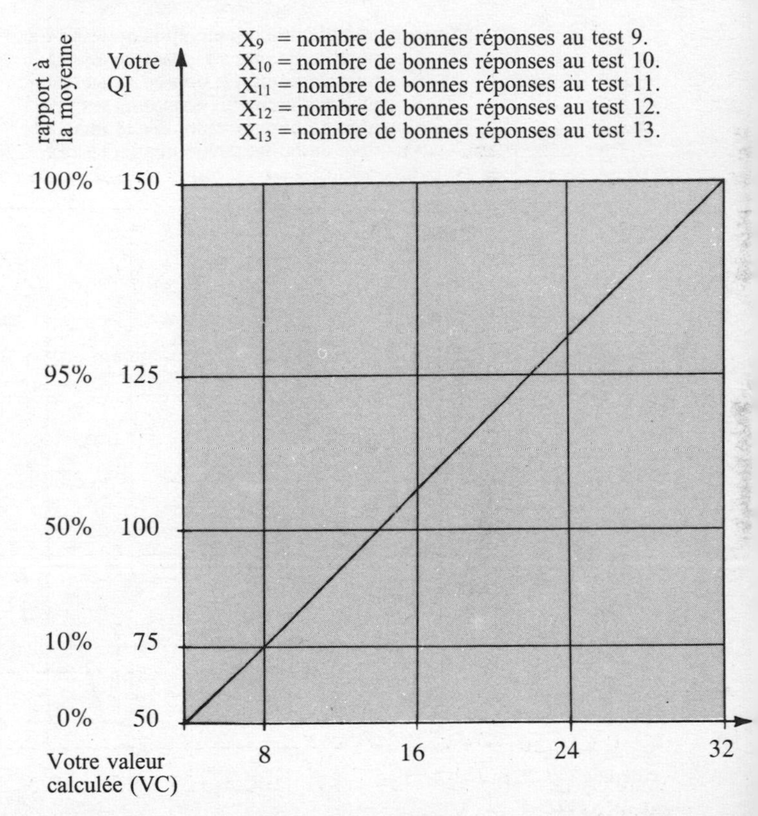

Tableau 3 - QI et aptitude à compter

1) Calculez la valeur suivante:

$$\left(\frac{X_{14}}{22}+\frac{X_{15}}{10}+\frac{X_{16}}{20}+\frac{X_{17}}{10}+\frac{X_{18}}{10}+\frac{X_{19}}{16}\right)\times\frac{44}{3}=\square$$

2) En fonction de celle-ci, calculez votre QI et situez-vous par rapport à la moyenne en vous aidant du graphique ci-dessous.

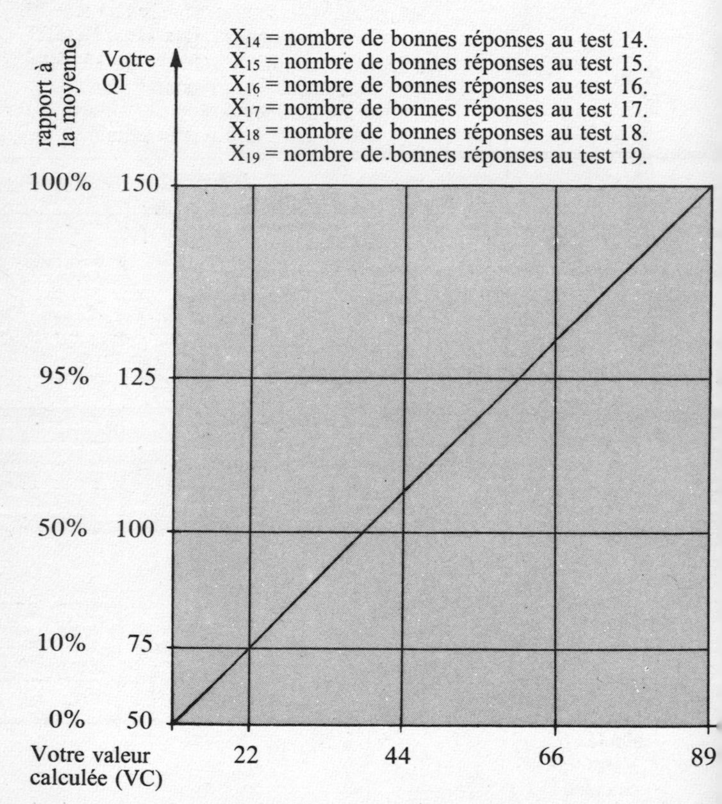

Tableau 4 - QI et capacité de réflexion

1) Calculez la valeur suivante :

$$\left(\frac{X_{20}}{8} + \frac{X_{21}}{18} + \frac{X_{22}}{6}\right) \times \frac{25}{2} = \square$$

2) En fonction de celle-ci, calculez votre QI et situez-vous par rapport à la moyenne en vous aidant du graphique ci-dessous.

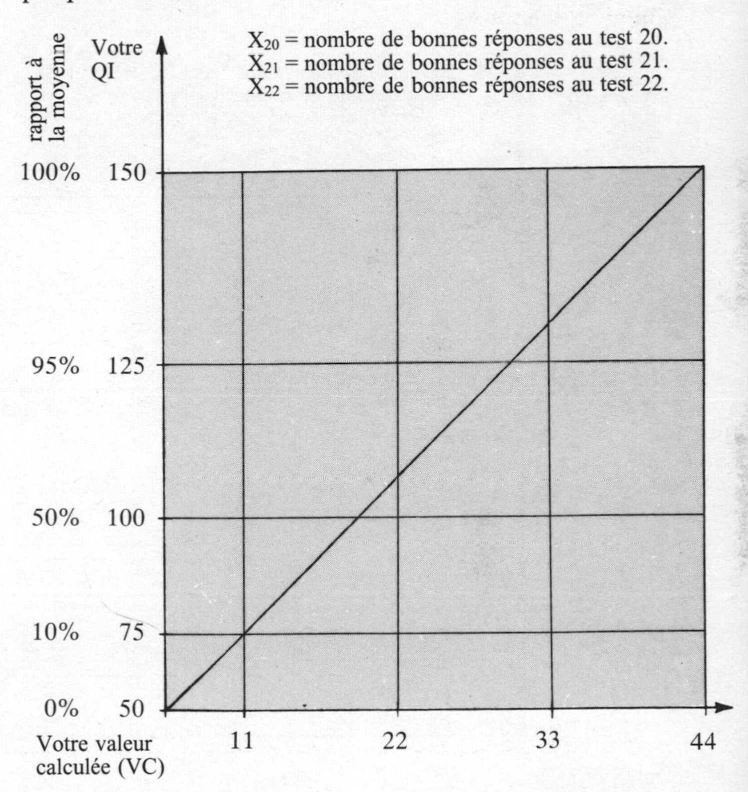

Tableau 5 - QI et capacité de combinaison

1) Calculez la valeur suivante :

$$\left(\frac{X_{23}}{8} + \frac{X_{24}}{9} + \frac{X_{25}}{12}\right) \times 10 = \square$$

2) En fonction de celle-ci, calculez votre QI et situez-vous par rapport à la moyenne en vous aidant du graphique ci-dessous.

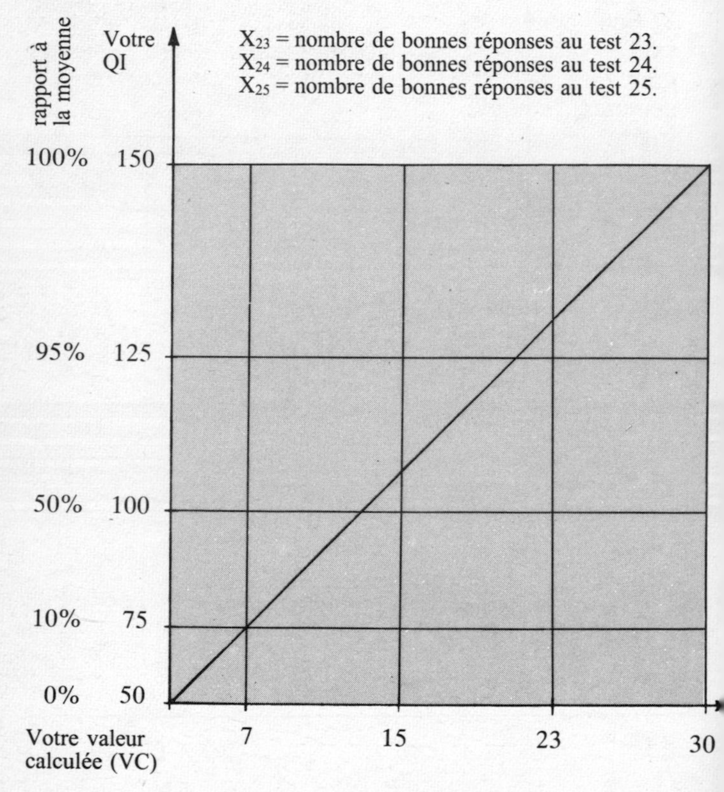

Tableau 6 - QI général

1) Calculez la valeur suivante :

$$\left(\frac{\text{VC langage}}{166} + \frac{\text{VC espace}}{32} + \frac{\text{VC calcul}}{88} + \frac{\text{VC raisonnement}}{32} + \frac{\text{VC combinaison}}{29}\right) \times 78 = \square$$

2) En fonction de celle-ci, calculez votre QI général et situez-vous par rapport à la moyenne en vous aidant du graphique ci-dessous et en suivant les conseils précédemment prodigués.

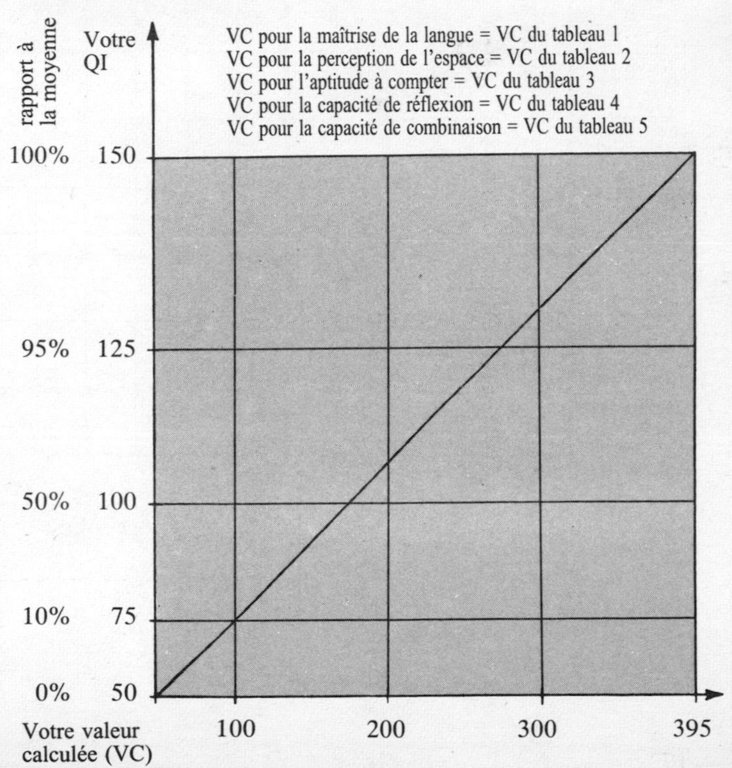

Votre profil personnel d'intelligence

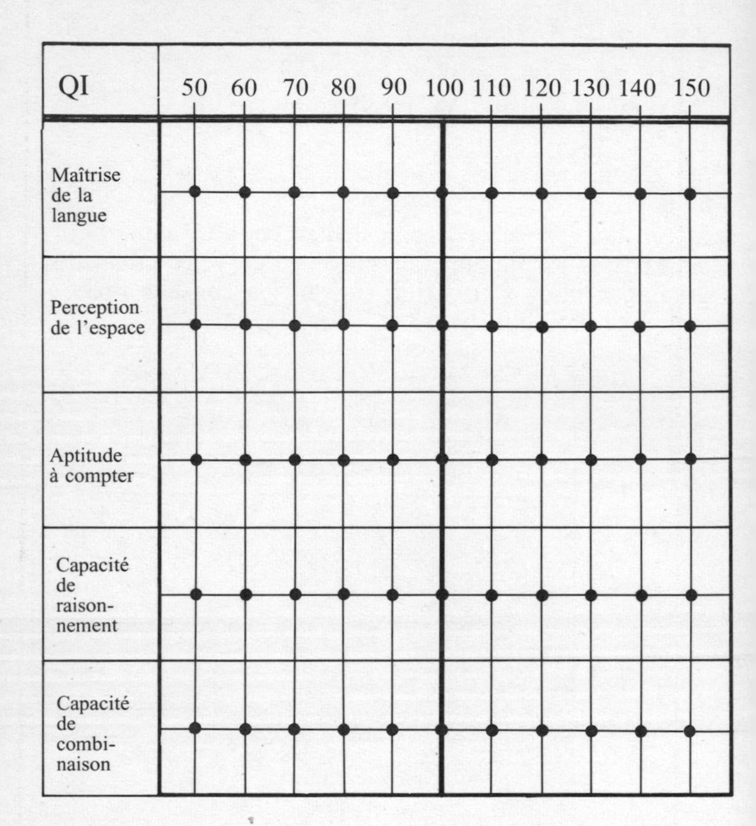

Reportez ces valeurs dans le tableau ci-dessus et reliez-les par un trait.

SOLUTIONS

Solutions des exercices

Leçon - test 2

Les mots suivants sont mal orthographiés:

1, 2, 3, 4, 6, 9, 12, 13, 17, 18, 21, 22, 23, 25, 28, 30, 31, 33, 38, 41, 44, 45.

Nombre, dépression, magnificence, misogyne, magot, obole, cauchemar, gag, présent, Philippines, émulsion, acompte, attelle, prétérit, aborigène, abbesse, personnage, ovationner, apartheid, tuilerie, décélération, couleur.

Leçon - test 3

Les deux termes en question sont:

1. Indigence - Document
2. Cohue - Patère
3. Autorités - Savoir
4. Fantaisie - Souris
5. Secrétaire - Ballast
6. Semestre - Parent
7. Apostolat - Barbe
8. Rival - Millionnaire
9. Botanique - Instrument
10. Bitume - Imparfait
11. Oiseau - Poule
12. Farine - Cendrier
13. Disque - Ananas
14. Pistolet - Rite
15. Gravure - Compliment
16. Logarithme - Censure
17. Bouteille - Briquet
18. Usufruit - Mystique
19. Escapade - Pastorale
20. Provocateur - Exposant
21. Tracteur - Lampe
22. Dénonciation - Inscription
23. Opéra - Manteau
24. Tabouret - Cavalier
25. Mouchoir - Fenêtre

Leçon - test 4

Il s'agit de:

1. b	7. a	13. b	19. a
2. a	8. a	14. a	20. a
3. b	9. c	15. d	21. b
4. d	10. c	16. b	22. b
5. a	11. b	17. a	
6. b	12. c	18. a	

Leçon - test 5

Correctement orthographiés, les mots sont:

1. Émotion	13. Fakir	24. Question	35. Association
2. Liane	14. Vote	25. Exotique	36. Société
3. Bonus	15. Totem	26. Émission	37. Tirana
4. Twist	16. Éclat	27. Mausolée	38. Trinité
5. Sonde	17. Misère	28. Identité	39. Albanie
6. Singe	18. Secteur	29. Modéré	40. Chromosome
7. Parole	19. Collecte	30. Arrogance	41. Sinologue
8. Porte	20. Bolivie	31. Trottoir	42. Guérilla
9. Raison	21. Moniteur	32. Métropole	43. Visiter
10. Miles	22. Police	33. Cynisme	44. Bateau
11. Pôle	23. Chats	34. Pression	45. Tolérance
12. Facteur			

Leçon - test 6

Les syllabes communes sont:

1. . . . SSAGE	7. CAS . . .	13. MOU . . .
2. . . . DEUR	8. COM . . .	14. DE . . .
3. . . . GE	9. . . . RIS	15. . . . DE
4. . . . TE	10. OB . . .	16. PA . . .
5. . . . TIF	11. . . . TION	17. RA . . .
6. . . . ETTE	12. PE . . .	18. BA . . .

Leçon - test 7

La solution est:

1. c	5. a	9. b	13. b
2. c	6. b	10. a	14. d
3. b	7. c	11. c	15. c
4. d	8. c	12. d	16. b

Leçon - test 8

La solution est :

1. 3/D	6. 2/C
2. 2/C	7. 4/A
3. 3/A	8. 2/C
4. 4/B	9. 1/C
5. 1/D	10. 3/B

Leçon - test 9

Exercice 1: 10 faces
Exercice 2: 10 faces
Exercice 3: 9 faces
Exercice 4: 9 faces
Exercice 5: 8 faces
Exercice 6: 15 faces

Leçon - test 10

Les points d'intersection pour les exercices concernés sont:

Exercice 1: 5 - 4
Exercice 2: 5 - 6
Exercice 3: 5 - 4
Exercice 4: 5 - 5

Exercice 5: 5 - 7
Exercice 6: 6 - 6
Exercice 7: 6 - 5
Exercice 8: 5 - 6
Exercice 9: 5 - 5
Exercice 10: 4 - 5

Leçon - test 11

Les correspondances sont:

Exercice 1:

1	2	3	4	5	6
D	F	C	E	B	A

Exercice 2:

1	2	3	4	5	6
D	C	E	B	F	A

Exercice 3:

1	2	3	4	5	6
D	E	A	F	C	B

Exercice 4:

1	2	3	4	5	6
D	F	E	A	B	C

Exercice 5:

1	2	3	4	5	6
D	E	F	B	A	C

Exercice 6:

1	2	3	4	5	6
B	D	F	E	A	C

Leçon - test 12

Il s'agit des photos:

Exercice 1: photos 5 et 7
Exercice 2: photos 1 et 6
Exercice 3: photos 2, 4 et 9
Exercice 4: photos 3, 4 et 8
Exercice 5: photos 2, 5, 6 et 8
Exercice 6: photos 1, 2, 5 et 7.

Leçon - test 13

La bonne réponse est:

Exercice 1: c
Exercice 2: a
Exercice 3: c
Exercice 4: b

Leçon - test 14

La bonne réponse est:

Exercice 1 = b
Exercice 2 = a
Exercice 3 = c
Exercice 4 = c
Exercice 5 = a
Exercice 6 = c
Exercice 7 = e
Exercice 8 = e
Exercice 9 = c
Exercice 10 = e
Exercice 11 = b
Exercice 12 = c
Exercice 13 = b
Exercice 14 = b
Exercice 15 = a
Exercice 16 = d
Exercice 17 = c
Exercice 18 = d
Exercice 19 = d
Exercice 20 = e
Exercice 21 = d
Exercice 22 = d

Leçon - test 15

Les bonnes réponses sont:

Exercice 1: c
Exercice 2: e
Exercice 3: a
Exercice 4: c
Exercice 5: b
Exercice 6: b
Exercice 7: a
Exercice 8: b
Exercice 9: b
Exercice 10: b

Leçon - test 16

Les bons nombres sont:

Exercice 1:	**40**	+1, +2, +3, +4, …
Exercice 2:	**32**	+7, +6, +5, +4, …
Exercice 3:	**4**	-3, -5, -7, -9, …
Exercice 4:	**15**	-3, -2, -3, -2, …
Exercice 5:	**1440**	×1, ×3 ×2, ×4, ×3, ×5, ×4, …
Exercice 6:	**1944**	×2, ×3, ×3, ×2, ×2, ×3, …
Exercice 7:	**14**	:2, :1, :2, :1, …
Exercice 8:	**3**	:3, :2, :4, :3, :2, :4, :3, :2, …
Exercice 9:	**26**	+1, -2, +3, -5, +8, -13, +21, …
Exercice 10:	**38**	-5, -5, +10, +20, -5, -5, +10, …
Exercice 11:	**72**	+3, ×2, +4, ×2, +5, ×2, +6, …
Exercice 12:	**34**	+4, ×1, +4, +4, ×2, +4, +4, +4, …
Exercice 13:	**1**	-16, :5, -15, :4, -13, :3, …
Exercice 14:	**2**	-1, :1, -11, :11, -11, :11, …
Exercice 15:	**1980**	×7, -70, ×8, -80, ×9, -90, …
Exercice 16:	**73**	-8, ×4, -4, -10, ×5, -5, -12, …
Exercice 17:	**1**	:6, +9, :3, +6, :9, +3, :6, …
Exercice 18:	**120**	×2, :1, ×3, :11, ×4, :111, ×5, …
Exercice 19:	**1**	+1, ×1, :2, -4, +2, ×2, :4, …
Exercice 20:	**83**	×4, :3, +21, -7, ×5, :4, +63, …

Leçon - test 17

Les bons nombres sont :

Exercice 1 :	**68**	La somme de deux nombres se trouve dans la partie du cercle qui suit celles des deux nombres en question.
Exercice 2 :	**3**	Alternativement (-2), (-3), dans le sens inverse des aiguilles d'une montre.
Exercice 3 :	**5**	Ajouter +1 une fois sur deux, en vous déplaçant dans le sens inverse des aiguilles d'une montre.
Exercice 4 :	**36**	Les parties du cercle face à face se multiplient par deux.
Exercice 5 :	**17**	(X+3) et (-1) dans les parties opposées du cercle et dans le sens contraire des aiguilles d'une montre.
Exercice 6 :	**45**	(X^2+1), (X^2-2), (X^2+3), (X^2-4), toujours dans le sens des aiguilles d'une montre.
Exercice 7 :	**3**	(-1), (X^2), (-1), (X^2), toujours dans le sens des aiguilles d'une montre.
Exercice 8 :	**5**	Toujours (X^2) dans les parties du cercle opposées ou racine carrée.
Exercice 9 :	**676**	$(X^2+1)^2$ dans le sens contraire des aiguilles d'une montre.
Exercice 10 :	**25/64**	$(X+1/2)^2$, exactement dans les parties du cercle opposées et dans le sens des aiguilles d'une montre.

Leçon - test 18

Les bonnes réponses sont:

Exercice 1: **12** Les nombres inscrits dans les carrés correspondent à la juxtaposition de deux chiffres: le 1er correspond au numéro de la colonne, le 2e au numéro de la ligne. On retranche 1 au nombre ainsi formé.
Exemple: 10=1 (numéro de la colonne) +1 (numéro de la ligne) égal 11 moins 1 égale 10.

Exercice 2: **23** Les nombres sont disposés en spirale, par ordre croissant, dans le sens des aiguilles d'une montre.

Exercice 3: **9** Les chiffres correspondent à des carrés disposés en cercle autour de 25. Leur racine carrée perd 1 à mesure qu'elle se rapproche du bord.

Exercice 4: **36** Numéro de ligne + numéro de colonne au carré, de haut en bas.

Exercice 5: **3** Valeur absolue de la différence entre la colonne et la ligne.

Exercice 6: **3** (numéro de la ligne + numéro de la colonne) - 2.

Exercice 7: **6** De gauche à droite en se déplaçant diagonalement; chaque carré correspond à la valeur du suivant multiplié par 2.

Exercice 8: **0** Tous les nombres correspondant aux carrés sont le résultat de la juxtaposition numéro de ligne + numéro de colonne et sont marqués par 0 quand ils sont impairs et par 1 quand ils sont pairs.

Exercice 9 : **0** Le produit du rapport numéro de ligne divisé par numéro de colonne est noté 0 lorsqu'il est entier, 5 lorsqu'il est décimal.

Exercice 10 : **1** Les valeurs des carrés sont le produit du quotient numéro de colonne divisé par numéro de ligne.

Leçon - test 19

Ces carrés sont faux :

Carré 2 : manque : 2
Carré 3 : manque : 3
Carré 5 : manque : 2
Carré 6 : manque : 1
Carré 10 : manque : 3
Carré 11 : manque : 2
Carré 12 : manque : 6
Carré 14 : manque : 3
Carré 17 : manque : 5
Carré 19 : manque : 1
Carré 22 : manque : 4
Carré 23 : manque : 1
Carré 24 : manque : 2
Carré 26 : manque : 5
Carré 29 : manque : 2
Carré 31 : manque : 3

Leçon - test 20

Les photos se suivent comme suit :

Exercice 1 : d b a c e
Exercice 2 : d b a c e
Exercice 3 : b d e c a
Exercice 4 : a e d c b
Exercice 5 : a d b e c
Exercice 6 : d b e c a
Exercice 7 : d c a b e
Exercice 8 : a c b e d

Leçon - test 21

Le bon enchaînement des figures est:

Exercice 1: a b d c
Exercice 2: a d c b
Exercice 3: a d b c
Exercice 4: a c b d
Exercice 5: a d b c
Exercice 6: a d b c
Exercice 7: a d c b
Exercice 8: a c d b
Exercice 9: a d c b
Exercice 10: a b d c
Exercice 11: a d b c
Exercice 12: a c b d
Exercice 13: a d c b
Exercice 14: a c d b
Exercice 15: a d c b
Exercice 16: a d c b
Exercice 17: a d c b
Exercice 18: a d c b

Leçon - test 22

Il s'agit des figures:

Exercice 1: 3 7
Exercice 2: 1 4
Exercice 3: 2 6
Exercice 4: 3 5
Exercice 5: 5 9

Leçon - test 23

La correspondance entre les pointillés et les photos est:

Tracé 1: I
Tracé 2: E
Tracé 3: A
Tracé 4: M
Tracé 5: C
Tracé 6: F
Tracé 7: H
Tracé 8: L

Leçon - test 24

Les bonnes conclusions sont:

Exercice 1: 5
Exercice 2: 3
Exercice 3: 1
Exercice 4: 3
Exercice 5: 2
Exercice 6: 5
Exercice 7: 4
Exercice 8: 2
Exercice 9: 3

Leçon - test 25

Les bonnes solutions sont:

Exercice 1: C
Exercice 2: B
Exercice 3: A
Exercice 4: C
Exercice 5: A
Exercice 6: A
Exercice 7: B
Exercice 8: C
Exercice 9: A
Exercice 10: C
Exercice 11: B
Exercice 12: C

Psychologie

A la découverte de soi
R. De Lassus .... 3614 46 FF
Aimer tout le monde
S. Ananda .... 3642 37 FF
Analyse transactionnelle (L')
R. De Lassus .... 3516 46 FF
Auto-analyse (L')
K. Horney .... 3577 46 FF
Avoir ou être
E. Fromm .... 3638 39 FF
Bouddha vivant, Christ vivant
Thich Nhat Hanh .... 3649 39 FF
Cette famille qui vit en nous
C. Rialland .... 3636 39 FF
Comment acquérir une super-mémoire
Dr J. Renaud .... 3536 39 FF
Comment réussir dans la vie
Groupe Diagram .... 3545 39 FF
Communication efficace par la PNL (La)
R. De Lassus .... 3510 46 FF
Convaincre grâce à la morpho-psychologie
B. Guthmann - P. Thibault .... 3574 39 FF
Dessinez vos émotions
M. Phillips - M. Comfort .... 3643 37 FF
Développez votre intelligence
G. Azzopardi .... 3513 46 FF
Dictionnaire des rêves
L. Uyttenhove .... 3542 37 FF
Efficace et épanoui par la PNL
R. De Lassus .... 3563 39 FF

Méthode Silva (La)
J. Silva - Ph. Miele ....3591 39 FF
Moments vrais (Les)
B. De Angelis ....3646 43 FF
Oser être gagnant par l'analyse transactionnelle
R. De Lassus ....3620 39 FF
Oser être soi-même
R. De Lassus ....3603 39 FF
Partez gagnant
T. Hopkins ....3604 39 FF
Pièges de la perfection (Les)
S. J. Hendlin ....3628 46 FF
Plénitude de l'instant (La)
Thich Nhat Hanh...........................3655 37 FF
Plus loin sur le chemin le moins fréquenté
S. Peck ....3639 39 FF
Pratiquer et vivre la relation d'aide
J. et C. Poujol ....3579 43 FF
Prodigieuses victoires de la psychologie (Les)
P. Daco.......................................3504 46 FF
Psy de poche (Le)
S. Mc Mahon................................3551 39 FF
Psychologie et liberté intérieure
P. Daco.......................................3503 46 FF
Puissance de la pensée positive (La)
N. V. Peale ....3607 39 FF
QE, QI : dopez votre intelligence
G. Azzopardi...............................3586 39 FF
Quel est votre type psycho-sexuel ?
G. d'Ambra ....3588 39 FF
Réinventer le couple
C. Rogers ....3589 39 FF

IMPRIMÉ EN FRANCE PAR BRODARD ET TAUPIN
6637W - La Flèche (Sarthe), le 01-10-1999.

pour le compte des
Nouvelles Éditions Marabout
D.L. octobre 1999/0099/177
ISBN : 2-501-03264-0

2539
MARABOUT